LES OLIVIERS DU LIGNAGE

Les oliviers du lignage

UNE GRÈCE DE TRADITION VÉNITIENNE

par

MARIA COUROUCLI

Publié avec le concours du Centre national des lettres

PARIS

MAISONNEUVE ET LAROSE

1985

Table des matières

Chapitre 4

**ECONOMIE AGRICOLE : OLIVIERS, VIGNES
ET CEREALES**

Chapitre 5

**LA COMMUNAUTE VILLAGEOISE ET LA VIE
NATIONALE : LE CHANGEMENT SOCIAL**   125

Avant propos

C'est en 1976 que j'entrepris, au village d'Épiskepsi, à Corfou, la travail ethnographique qui pour l'essentiel constitue la base de ce livre.

Au fil des séjours successifs, ceux dont je devais observer la vie quotidienne et les traditions devinrent pour moi les partenaires d'une expérience humaine partagée. Il a fallu, aussi, faire de la place à l'Histoire. L'influence de Venise n'était pas seulement dans tel détail du quotidien des gens du village ou dans telle particularité d'un rituel, en survivances : c'est toute l'histoire de l'île qui porte la marque de Venise, la République Sérénissime.

Aux différentes étapes de mon parcours, j'ai bénéficié de la sympathie vigilante et de la critique amicale de mes maîtres et collègues. Je dois remercier plus particulièrement Caroline Humphrey, Edmund Leach, Jack Goody, Nicolas Svoronos, Maurice Godelier, Isaac Chiva, Martine Segalen, Georges Augustins, Altan Gokalp, John Peristiany, John Campbell et Roger Just. Je remercie également Maryse Albessard pour l'aide qu'elle m'a apportée à la préparation finale de mon manuscrit. La Fondation Moraïtis a rendu l'édition de ce livre possible en l'honorant de son aide.

Last but not least, ma dette envers les gens de Corfou : responsables locaux, bibliothécaires, archivistes, mais surtout envers les villageois d'Épiskepsi. C'est vers eux qu'ira ma gratitude, ne serait-ce que parce qu'ils ont bien voulu adopter quelqu'un qui n'était pas à sa place, là, dans leur communauté, et qu'ils ont choisi de lui faire don de leur temps et de leur confiance. Christoforos, Nitsa et Statho Dimitras, Spiros Condinis, Antonis Banos, Lambis Perdikaris, la famille Nikas, Spiros Tzoras-Margioulis, la famille Sgouros, Angeliki Lou-rou-Capello et Giorgos, Tassos et Maria Dimitra furent mes amis, qu'ils trouvent ici le témoignage de ma reconnaissance.

Chryssopigi, Sifnos
Septembre 1985

Introduction

Le travail présenté ici se propose de restituer la vie sociale d'une communauté villageoise du nord de l'île de Corfou, Episkepsi. Le village se trouve dans une région montagneuse dont l'isolement relatif a eu des retombées économiques et sociales tout au long de son histoire.

Le type de village choisi comme terrain d'observation est moins rare qu'on ne le croit en Grèce, bien qu'il ne soit pas le reflet des grands problèmes sociaux de la société grecque contemporaine (émigration et exode rural massifs, économie locale dominée par le tourisme... « a sad investment », pour prendre la formulation de l'économiste Joan Robinson). D'autre part, Corfou est une région offrant à la recherche des sources documentaires très riches et très diversifiées, qui rendent possible la mise en œuvre d'une perspective diachronique dans un travail d'anthropologie.

D'une manière classique dans l'aire méditerranéenne, coexistent ici une économie spécifique centrée sur la cueillette (olivier), et une dépendance étroite d'une économie de marché tributaire des cours mondiaux. Pour la mise en place des structures de production et de commercialisation de l'olivier, les acteurs se réfèrent dans le choix de leurs solutions, aux catégories de la tradition autochtone. Cette situation est à l'origine d'un paradoxe qui se retrouve à tous les niveaux de la vie sociale des Episkepsiotes. On a en effet d'une part le système traditionnel de production et de commercialisation, qui puise dans les ressources coopératives d'une organisation sociale centrée sur la parenté et le lignage ; et d'autre part le plan national, les contraintes et les conditions de l'économie de marché qui ne font intervenir producteurs et agents économiques que sous une forme totalement atomisée : la famille nucléaire.

Les données de terrain, qui dégagent les grandes lignes de la vie sociale et culturelle à Episkepsi, amènent à mettre l'accent sur le passage d'une structure quasi-lignagère à une communauté de petits producteurs centrés sur la cellule conjugale. Les données d'ordre historique confirment cette orientation. En effet, si la culture

11

de l'olivier et sa commercialisation, demeurées largement tributaires des schèmes traditionnels, nécessitent des modes de coopération lignagère complexes et étendus, il n'en reste pas moins qu'une bonne partie de ces opérations relevait de centres de décision autres que lignagers (grands propriétaires extérieurs à la communauté villageoise, détenant les moyens de production — terres et pressoirs à huile —, pouvoirs publics mis en place par l'Angleterre, puissance souveraine, etc.).

Ainsi, tout semble s'être passé comme si les changements sociaux avaient fait disparaître ces centres de décision antérieurs sans qu'ils soient remplacés par d'autres structures d'organisation et de coordination, recrutant sur une base coopérative ou de parentèle. Les unités domestiques restent donc face à une liberté qui n'a pas forcément été demandée : celle d'assumer leur autorité de décision, mais sans pouvoir désormais s'appuyer sur la tradition.

Si l'organisation de la parenté fait système à Corfou et tout porte à le croire, à la différence d'autres régions de la Grèce ce système reflète moins l'évolution d'une structure lignagère que les transformations induites par la monoculture de l'olivier.

Le lecteur suivra dans le cheminement de ce travail, le devenir d'une communauté villageoise, avec l'accent mis sur les structures de la parenté (celles du présent mais aussi celles du passé) et sur l'organisation de la vie économique au sein d'un système de monoculture et d'exploitation agricole engendrant de complexes relations de dépendance. La nature et les modalités des rapports entre la communauté villageoise et l'Etat, représenté ici par un certain nombre d'institutions, constituent des axes principaux de cette recherche.

Sur ce plan, une configuration stable se dessine très vite. En effet, à travers l'exemple d'Episkepsi il est possible de s'interroger sur la nature des « modèles » de parenté récurrents, présentés comme spécifiques d'une tradition grecque. Si le village (comme ailleurs en Grèce) reste le lieu de référence privilégié de la vie sociale, ce qui structure cette communauté villageoise ne semble pas, en revanche et contrairement à une littérature anthropologique assez répandue, constituer un modèle de parenté spécifique, expression d'une tradition dont on a perdu le fil d'Ariane.

Tout semble se passer au contraire, dans le contexte d'un dialogue entre la communauté paysanne et l'Etat : ce qu'on prend pour un ensemble de configurations récurrentes reflétant des « modèles traditionnels » de la parenté en Grèce, apparaît, dès qu'on introduit la diachronie, comme la résultante, spécifique à chaque commu-

nauté et à son histoire, des rapports entre la communauté villageoise d'une part l'Etat et ses institutions (le droit canon par exemple) de l'autre. Il est intéressant de constater que ce qui est pris pour un modèle traditionnel n'est souvent que la traduction structurée d'un ensemble de modifications induites par l'action de l'Etat.

Nous avons donc essayé de démontrer que le système indigène, celui qui règle la transmission des biens familiaux et celui qui règle le mode de partage des terres ou leur mise en fermage, est directement en « dialogue » avec des institutions imposées à la communauté par un Etat souverain (Byzance, Vénise, Etat grec moderne). La parentèle, par exemple, en tant que groupe exogame, si elle est différente de celle que définissent les prohibitions de l'église orthodoxe, demeure toujours un modèle qui se réfère à la fois au droit canon et au Code civil ionien (en vigueur de 1841 jusqu'en 1945), lorsque celui-ci définit les parents qui ont droit à l'héritage du patrimoine d'un défunt.

Le fait de voir dans ce système le résultat d'une adaptation de la société villageoise aux institutions de la société qui l'entoure est en un sens, l'aboutissement le plus inattendu et le plus susceptible de prolongements théoriques de cette recherche. Notre propos est de démontrer que la communauté villageoise, tout en préservant une cohésion interne et une identité propre à travers ses catégories spécifiques, ajuste constamment ses stratégies face à la société qui l'entoure, lui impose ses institutions et sa base économique.

Par ailleurs, sur le plan des structures de parenté, c'est une « Grèce au pluriel » qui apparaît dès que l'on fait intervenir, en complément de l'observation ethnologique, les variables du substrat historique et l'organisation économique et sociale qui le sous-tendent : quatre configurations apparaissent ainsi avec netteté ; quatre types de production et de rapports sociaux.

En Grèce continentale, les communautés pastorales, d'abord, se caractérisent par la résidence patrilocale, l'héritage en ligne agnatique et la prédominance de ménages composés des familles patrilatérales étendues.

Chez les agriculteurs ensuite, la résidence reste toujours patrilocale mais il y a absence totale de ménages du type frérèche ; les hommes héritent de la maison et des terres, mais quelques champs sont donnés en dot aux filles. En revanche, c'est dans ces communautés qu'on rencontre des structures lignagères qui, en grande partie, déterminent l'organisation de l'espace et l'appropriation des moyens de production.

Quant aux communautés insulaires d'agriculteurs (surtout dans les îles ioniennes), des structures lignagères d'un type comparable sont aussi dominantes. C'est ici qu'on trouve aussi des formes que Maurice Godelier définit comme « le mode de production parcellaire », et une organisation de la famille strictement nucléaire.

Vient enfin la quatrième Grèce, celle des îles de pêcheurs et de marins de la mer Egée, caractérisées par de fortes manifestations de tendance matrilinéaire (terres et maisons héritées en ligne féminine, résidence matri-néolocale), et par la prédominance de la famille nucléaire, éléments qui ont alimenté une vaste littérature sur un « matriarcat égéen », expression impropre, assurément, mais qui invite à repenser un ensemble de faits ethnographiques.

Quatre Grèce donc : pasteurs, agriculteurs du continent, agriculteurs insulaires et pêcheurs de la mer Egée. Ces quatre structures de parenté et de transmission du patrimoine sont-elles la résultante de structures économiques dont on peut tracer les contours et qui sont historiquement déterminées ?

En tout cas, la Grèce des agriculteurs insulaires, celle des îles ioniennes, semble ressortir à un modèle vénitien (ce qui l'articule avec les structures de l'Europe « occidentale »), alors que la Grèce continentale et Egéenne reflète à sa manière une synthèse ottomane. Pérennité des structures traditionnelles autochtones en dépit des institutions imposées de l'extérieur (Venise, Empire ottoman), mais aussi ligne de partage des eaux d'une Europe pluri-culturelle ? C'est à ces interrogations que l'analyse de la société grecque contemporaine, avec les acquis et la méthodologie de l'anthropologie, pourrait apporter de nouveaux éléments de réponse.

CHAPITRE 1

Histoire

Corfou et le système vénitien. Une Grèce à part ?

Aussi loin qu'on remonte le fil de l'histoire, Corfou apparaît dotée d'une place que sa situation insulaire ne laisse pas toujours prévoir.

L'île est peuplée semble-t-il, depuis les temps préhistoriques (Sordinas, 1963, 1965, 1974). Colonie de Corinthe dès le VIIIᵉ siècle av. J.-C., sa puissance maritime en fit une des causes de la guerre du Péloponnèse. Elle passa sous la domination romaine en 299 av. J.-C. et, à partir du VIIIᵉ siècle (733) elle fit partie de l'Empire byzantin. Au XIIᵉ siècle, les Byzantins introduisirent les *pronoiai,* forme d'exploitation de la terre à partir des concessions de type « féodal » (Typaldos, 1864, 499-502 et 513-518) ainsi qu'une administration reposant sur des divisions territoriales : *Oria* et *Episkepseis* (Hirdomenos, 1895) − d'où probablement le nom du village. Entre le Xᵉ et le XIVᵉ siècle, elle subit les invasions des Slaves (933), des Sarrasins (1032), des Normands (1080 et 1147), des Siciliens (1185) et des Génois (1199). Au lendemain de la quatrième Croisade, Corfou passe sous la domination vénitienne pour douze ans, jusqu'en 1214, puis elle fait partie du *Despotat d'Epire* jusqu'en 1267. De 1267 jusqu'en 1386, l'île est sous la domination de la maison d'Anjou avant d'être annexée par Venise en 1386 « en parfait accord avec les notables de l'île » (Thiriet, 1959, 357). L'artistocratie autochtone obtint ainsi une série de privilèges pour l'application du droit vénitien dans l'île, ainsi que pour la reconnaissance des privilèges particuliers accordés par les empereurs byzantins et sanctionnés par les Angevins de Naples. Un ensemble de textes régissent ainsi le statut des aristocrates et celui du clergé (Lountzis, 1856, 1969, 102-117). L'attitude des Vénitiens s'inscrit dans le cadre de leur « nouvelle politique coloniale » d'annexion de nouveaux territoires sur appel des indigènes, une fois négocié l'établissement de la domination vénitienne, sur la base du respect des privilèges et des franchises obtenues par les habitants (Thiriet, 1959, 395).

Venise, en effet, ou plutôt ce qu'on peut appeler « le système vénitien », constitue la clef de voûte de tous les agencements particuliers du système foncier, du droit des patrimoines et des successions, du pouvoir et des relations de dépendance qui font la spécificité de Corfou dans l'histoire, mais aussi aujourd'hui, dans les grandes lignes de la vie socio-culturelle.

Corfou est-elle en cela une *autre Grèce* ? Comparées au continent ou aux îles de la mer Égée, qui subissent la loi ainsi que les choix économiques et culturels du système ottoman, les îles ioniennes, et plus particulièrement Corfou, présentent d'importantes singularités. A telle enseigne que, lorsque ces îles ont rejoint la communauté nationale grecque, l'intégration ne s'est pas faite sans problèmes, surtout sur le plan culturel.

Corfou n'était pas seulement le verrou de l'Adriatique, une « excellente base, à la charnière du domaine adriatique et du domaine romaniote » (Thiriet, 1959, 248) ; escale parfaite pour les galères marchandes, c'était aussi une île très riche, dont les ressources intéressaient depuis longtemps les Vénitiens (importantes salines et forte production d'huile, de vin et de glands de chêne, que l'on trouve dans la région d'Oros) (Vlassopoulo, 1977, 84).

En 1836, le système des grandes propriétés terriennes *(Pronoiai)*, installé depuis le VIIIe siècle par les Byzantins, est repris par les Vénitiens sous forme de *Baronnies,* qui assurent ainsi la protection de ces terres à leurs propriétaires et à leurs colons. Quelques nouveaux domaines seront créés dans la foulée pour y loger de nouveaux habitants originaires des îles du sud passées sous la dépendance ottomane (Lountzis, *ibid.,* 264 ; Hidromenos, 1895). Ces propriétés étaient soumises aux *Statuti di Napoli di Romania* (Lountzis, *ibid.,* 269). C'est à une de ces Baronnies qu'appartient une grande partie du territoire d'Épiskepsi selon l'*Anagraffi* (cadastre) de 1744.

La population de l'île avant le XVIe siècle est très mal connue. Partsch (1892, 187) donne le chiffre de 14 246 habitants pour la seule ville de Corfou trois ans avant l'invasion, en 1537, des frères Barberousse qui emmenèrent, aux dires d'Hidromenos, 20 000 prisonniers après avoir pillé non seulement la ville, mais également la campagne, si bien qu'en 1576 il ne restait plus que 7 750 habitants dans la ville et 10 000 dans la campagne (*ibid.*, 187 ; Hidromenos, 1895). C'est au lendemain de ces destructions suivies de la peste (raison pour laquelle Barberousse aurait renoncé au siège de la forteresse de Corfou), que les Vénitiens décidèrent de planter des oliviers partout dans l'île (Sathas, 1880-90, V, 324-325 ; C. Botta, 1823, 61 ; Partsch, 1892, 264). Quelques années plus tard, en 1623, on offrit une prime à qui planterait 100 pieds d'olivier dans des champs de céréales (Hidromenos, 1885, 94).

En 1630, l'île compte 32 000 habitants, dont 7 000 dans la ville et 3 000 dans les faubourgs. A cette époque, selon Mastrakas (1630), l'île « produit du miel, de la cire et une grande quantité d'huile, mais plus forte encore est la production de vins exquis, quant aux huiles, elles sont de la meilleure qualité. » L'île produit encore des fruits, des herbes, et des céréales en quantité suffisante pour les besoins de ses habitants pendant quatre mois de l'année. On fabrique aussi du sel, monopole d'État, dans quatre villages de la campagne.

Pour le XVIIIe siècle, c'est le rapport officiel au Sénat de Francesco Grimani, Proveditor Generale da Mar (entre 1759 et 1779) qui fournit des informations précises sur la situation économique et démographique des sept îles (Heptanissos). Les chiffres concernant la population urbaine et rurale de Corfou sont déjà éloquents sur la prospérité de l'île. D'après ce rapport, Corfou, avec 44 333 habitants, sans compter l'« armata terrestre et maritima » qui comprend 11 000 personnes avec leurs familles, mais qui « sempre vario », est une île densément peuplée. Les 8 262 citadins sont répartis par religion : 5 834 *greci,* 1 257 *latini* et 1 171 *ebrei.* Les faubourgs comptent 7 801 habitants et les villages 28 990.

A cette époque, la monoculture de l'olivier est déjà établie et le paysage décrit par Grimani est celui qu'on retrouve actuellement : l'île est entièrement plantée d'oliviers, grands et petits, et la campagne de Corfou ressemble à une vaste forêt (*ibid.,* 77). Selon Grimani, les paysans plantent même les oliviers dans les vignobles. Cette tendance vers la monoculture de l'olivier apparaît, selon lui, comme une conséquence de l'exécution du décret du Sénat de 1623 : « *Decreto col quale l'eccellentissimo Senato ne commando l'universale moltiplicazione* » [des oliviers] *(ibid., 77)*.

Grimani parle aussi de la façon dont les paysans cultivent la terre, ainsi que des autres produits de l'île, de l'insuffisance de la production locale en céréales et en produit pour l'élevage. Tous ces produits sont importés de l'Empire ottoman tout comme les bœufs de labour et les chevaux nécessaires pour le fonctionnement des quelque 600 pressoirs de l'île. Les relations entre propriétaires et paysans *(coloni)* s'étaient détériorées à l'époque. L'usure *(prosticchio)* était chose courante partout dans la campagne et les propriétaires se plaignaient de la paresse de leurs paysans qui, au lieu de travailler dans leurs champs, cherchaient à s'emparer de la rente qu'ils devaient aux possesseurs de la terre.

Les Corfiotes d'alors ne comptent parmi eux ni artisans *(artisti)* ni commerçants. Toutes ces activités sont dans les mains d'étrangers, des immigrants venus de l'Épire voisine, mais surtout des Juifs. La colonie juive, très ancienne, s'accroît avec l'arrivée des réfugiés d'Espagne [1]. Ce sont eux qui assurent tout le commerce de l'huile et des étoffes.

En 1797, lorsque Venise fut prise par Bonaparte, les îles ioniennes passèrent sous la domination française. Le 30 juin 1797, Gentilly arriva à Corfou où il fut accueilli par l'évêque orthodoxe qui lui fit cadeau de *l'Odyssée* d'Homère (Hidromenos, 1895, 96-97). Sur la vie quotidienne à cette époque, l'ouvrage de Grasset de Saint-Sauveur, consul de la République française à Corfou offre un document éloquent. Saint-Sauveur, comme presque tous les voyageurs après lui, critique la politique de l'administration qui le précéda, tout en déplorant l'état actuel d'un peuple jadis illustre.

> *« Que nous présente la postérité des Phéaciens ? Une nation superstitieuse par religion, ignorante par le manque de moyens, superbe par ignorance, indigente par indolence, indolente, ennemie du travail par indigence, cruelle par inclination et l'assurance de l'impunité, perfide et fausse par foiblesse. Un tableau aussi triste changera ; l'insulaire redeviendra ce qu'il étoit autrefois, dès le moment qu'un gouvernement sage et éclairé ne lui dictera plus que les lois basées sur les vertus sociales et tendantes au bien*

---

1. En 1630, il y avait en effet 600 Juifs dans la ville de Corfou (Mastraka, *op. cit.*, p. 84) tandis que, selon Grimani, ils sont deux fois plus nombreux en 1760 : 1 171 habitants de la ville.

général... L'éducation étoit réservée à la classe du peuple la plus aisée, à qui la fortune avoit donné les moyens d'aller s'éclairer loin de sa patrie. La solidité, l'impression des principes de cette éducation, ne pouvoient seules la rendre pour toujours inaltérable. Un jeune homme après avoir passé un certain nombre d'années, partie dans les classes, partie dans un monde bien différent de l'île qui lui avoit donné le jour, reparoissoit parmi ses compatriotes. Que rapportoit-il de son voyage ? Qu'avoit-il acquis dans son collège ? des connoissances ? non ; mais la méthode pour en acquérir, peut-être même le désir et le goût pour l'application. Tout le bénéfice du temps qu'il avoit consommé dans les sociétés se réduisoit à avoir appris l'art de se présenter, de s'énoncer d'une manière moins gênée... » (Saint-Sauveur, 1799, vol. II, 180-181 et 183.)

En 1799, les Russes, vainqueurs des Ottomans, créent la République de l'Heptanèse sous la souveraineté ottomane (1800-1807). De 1807 jusqu'en 1814, les îles sont de nouveau françaises, pour devenir enfin, de 1815 à 1864, l'État fédéral des îles ioniennes, sous la protection de la Couronne britannique. En fait, l'administration des îles était soumise au *Lord High Commissioner,* le Parlement local ainsi que le Sénat n'ayant qu'un pouvoir limité.

Les récits des voyageurs de cette époque, Anglais et Français, sont tous catégoriques sur l'état déplorable de la paysannerie. Leur pauvreté, mais aussi leur indolence apparaissent en leit-motif dans presque tous les écrits. Ignorance du clergé, superstitions, saleté et dégradation des rapports entre maîtres et paysans sont les tristes caractéristiques de la société corfiote de ce début du XIXe siècle.

Quelques récits en témoignent :

« J'ai rencontré des paysans qui ne mangeaient du mauvais pain de maïs que pendant quatre ou cinq mois de l'année : du poisson, des herbes et un peu d'huile composaient leur nourriture pendant les autres mois... Le sol de l'île de Corfou est naturellement fertile, mais les bras manquent pour le cultiver, et d'ailleurs la paresse et l'insouciance sont des caractères dominants des paysans. » (Lamarre-Piquot, 1918, 36-37). Les popes de la campagne *« sont, en général, d'une ignorance profonde : dans les campagnes ils vivent avec le peuple, ont toutes ses dispositions et sont confondus avec lui. Il est difficile de se faire une idée de ce que j'ai*

vu d'abject et de maussade chez plusieurs popes des cantons pauvres de Spagiès (sic) et de Perithia. » [2] *(ibid., p. 82).*

Les Français sont les critiques les plus virulents de l'administration du Protectorat :

« *Quand on arrive de Grèce dans les îles ioniennes... on est frappé d'un certain aspect extérieur de prospérité... Que le voyageur prolonge cependant son séjour, qu'il étudie les campagnes et leur situation, et il découvrira bien vite les symptômes de souffrance cachés au premier coup d'œil... Les plus grandes parties des avantages dont il était disposé à faire honneur au gouvernement actuel des Sept-Iles, sont dus aux Vénitiens, aux Russes et aux Français...* » (Lenormant, 1861, 78-79.)

Quant à la paresse des paysans à laquelle est imputée la situation déplorable de l'agriculture, voici ce que pense Jervis-White :

« *Indolent beyond belief, he is satisfied with the food which Providence affords him off the neighbouring olive-trees, and which he patiently waits to see drop on the ground. The kindly berry added to a piece of bread and some salt fish, forms his daily sustenance ; its oil gives him light, and its wood supplies his fuel. The cloth woven at home, from coarse cotton or brown goat-hair by the industrious housewife furnishes him with ample clothing ; and for the best part of the year his hardest labour consists in smoking his pipe at the village wine-shop... The houses are filthy, though their exterior is rather clean...* » (1852, 265-266).

En 1864, les îles ioniennes furent cédées à la Grèce, à la suite d'une longue lutte des Ioniens pour l'union avec la Grèce libre.

Aussi, Corfou a toujours été une île d'agriculteurs plutôt que de marins, à la population plus dense que dans le reste de la Grèce. L'île a servi en effet de pays d'accueil aux vagues d'immigrants venant de la côte ouest de la Grèce continentale. Aujourd'hui encore, ses 148 habitants au km^2, contre 66 pour la Grèce tout entière, la placent au troisième rang, après les régions d'Athènes et de Salonique ; à la fin du XIXe siècle déjà, elle comptait 138 habitants au km^2 contre 34 pour l'ensemble du pays. Prospère au temps des Vénitiens, l'île, comme la plupart de ses sœurs ioniennes, n'a jamais été conquise par les Turcs.

2. Spagiès, (Spagoi dans les documents statistiques), désigne le village de Paghoi, au N.-O. de l'île. Perithia est la capitale d'Oros à l'époque.

Ressortissant avant tout de l'aire vénitienne sous l'angle de son histoire politique et de son économie, Corfou en porte aussi la marque dans sa démographie. Cela dit, une approche de l'île en termes de démographie historique soulève rapidement le problème des sources documentaires disponibles : doit-on faire appel aux archives vénitiennes, aux chroniques, aux données d'histoire locale ? Sur ce dernier point, tout ou presque se résume à l'étude précieuse mais par trop condensée de l'historien Hidromenos, datant de 1895, qui embrasse l'histoire de Corfou depuis les temps homériques jusqu'à la fin du XIXe siècle. Par ailleurs on ne possède que des études fragmentaires et une multitude de sources écrites, presque totalement inexploitées jusqu'à présent. Ce matériel d'archives, en grande partie inédit, peut servir à reconstruire l'histoire de la population d'une région ou d'un village, ce qui permet de donner à l'étude anthropologique une profondeur historique considérable. Si les témoignages historiques, même nombreux, ne permettent que difficilement de reconstituer le passé de l'île ainsi que son cadre politique et institutionnel, cette carence est plus importante encore lorsqu'il s'agit de restituer la vie sociale : à part quelques observations extérieures faites « au passage », on ne dispose quasiment pas de témoignages directs et crédibles.

La plupart des voyageurs de passage à Corfou depuis la fin du XVIIIe siècle ne se sont intéressés en effet qu'à la ville, et n'ont emprunté dans leurs excursions que les chemins de promenade des citadins, aux alentours de la cité, seuls carrossables à l'époque, du reste. Seuls les fanatiques d'archéologie se sont aventurés jusqu'à Kassiopi, hameau de la côte situé à 9 km à vol d'oiseau d'Épiskepsi, attirés par les ruines d'un temple de l'époque classique. Mais ils n'ont jamais emprunté la route de montagne qui passe par Épiskepsi. Deux auteurs contemporains seulement mentionnent le village : l'un étudie les révoltes paysannes depuis le XVIIe siècle à Corfou et l'autre l'histoire et le folklore de l'île (Bounias, 1954, 1958 et Katsaros, 1976).

Pour parvenir à se faire une image même très générale des usages en vigueur dans les différents « fiefs » (*oblati, diretti* ou autres), de la part exigée par le propriétaire foncier sur la production, ou de la rente en argent, force est de faire appel aux voyageurs, aux ouvrages historiques et polémiques de l'époque, et aux quelques rapports rédigés par l'administration britannique.

Corfou est-elle donc une Grèce à part ? Certes, la présence de Venise se fait toujours sentir, et même les célébrations d'une religion populaire se déroulent avec un faste que n'aurait pas renié la république des Doges.

Ainsi, pendant la Semaine Sainte, à Corfou, les rituels de Pâques ont conservé jusqu'à présent leur caractère traditionnellement solennel et grandiose : c'est la fête publique par excellence, les processions de chaque paroisse se succèdent dans les rues de la ville, et tout le monde y participe.

Ces rituels permettent de relever une différence fondamentale par rapport aux célébrations de la Grèce continentale, où l'essentiel se passe en effet dans l'église, centre des activités rituelles et des festivités, alors qu'à Corfou le rituel prend presque totalement place dans un lieu profane. La population, plutôt que de se rendre à l'église, où seuls quelques fidèles suivent la messe, préfère attendre les processions et cortèges le long des *kantoùnia* (ruelles) de la vieille ville : la fête est religieuse et surtout populaire.

De plus, les *philarmonikes* jouent dans les célébrations religieuses un rôle primordial, absent des rituels de la Grèce continentale. La plupart de ces harmonies municipales qui défilent pendant les grandes processions des reliques du saint-patron, sont des orchestres villageois. Elles se forment autour du *koro* de chaque paroisse, chœur polyphonique, accompagné d'un harmonium pendant les messes importantes. Cette coutume semble exotique aux continentaux, habitués aux seuls chantres du rituel orthodoxe traditionnel. Plus étrange encore apparaît l'interprétation, par ces mêmes musiciens, pendant les grandes processions de Pâques, de marches funèbres italiennes, à la résonance bien singulière pour les habitués des récitatifs traditionnels du rituel ecclésiastique, jamais accompagnés de musique instrumentale.

Ainsi, une immense procession des reliques de saint Spyridon, patron de l'île, a lieu le dimanche avant Pâques ; cette tradition date de 1630, année où une épidémie de peste ravagea plusieurs quartiers de la ville. Les habitants organisèrent alors une procession pour invoquer l'aide du saint et la ville fut sauvée[3]. Une

---

3. Voir A. Tsitsas (1974, 60, 82 n et 83) « ... à la suite de l'intervention du saint, vers lequel tous ont accouru avec piété et espoir [...] (ils) ont vu s'arrêter ce mal par un miracle, deux mois après l'apparition de la peste qui n'a finalement tué que cinquante-trois hommes. »

vingtaine de formations musicales, venues de plusieurs villages de Corfou, ainsi que les deux « philharmoniques » de la ville animent cette procession. Les chefs de l'église de Corfou ainsi que le préfet, le sous-préfet et autres dignitaires de l'administration y participent aussi, en parcourant un itinéraire assez long dans les rues de la ville. Jervis-White, en 1852 [4], s'indignait contre ces manifestations religieuses publiques auxquelles les autorités civiles britanniques prenaient activement part. C'est le soir du Vendredi Saint qu'a lieu la procession la plus spectaculaire : dans une atmosphère solennelle, un long cortège parcourt un itinéraire — toujours le même — à travers la ville, formé de toutes les paroisses de la ville qui transportent chacune son *épitaphios*, c'est-à-dire une sorte de catafalque représentant le Christ au tombeau. Tous les 200 mètres, la procession s'arrête pour permettre à toutes les églises qui y participent d'officier une partie de la messe en pleine air. Quand les philharmoniques de la ville arrivent à hauteur de l'esplanade, elles jouent, chacune à son tour, une marche funèbre. Cette procession comprend les mêmes dignitaires que celle du dimanche précédent. Seule la cathédrale, l'église de saint Spyridon n'y participe pas puisqu'elle célèbre cette messe le lendemain matin : une procession des reliques de saint Spyridon suivies de l'*épitaphios* précède en effet la première messe de Pâques, qui est officiée dans la cathédrale et qui déclare la résurrection à 11 heures du matin. Les cloches de l'église donnent alors les signal et, de tous les balcons et fenêtres de la ville, on laisse tomber des pots pleins d'eau, ce qui fait un fracas absolument étourdissant. Il paraît que c'est là une coutume ancienne [5] dont la signification symbolique serait l'anathème contre les Juifs. Les voyageurs du XIXe siècle ne mentionnent pas cette explication, bien que tous s'accordent à dire que les Juifs risquaient d'être attaqués s'ils sortaient de leur ghetto pendant les fêtes de Pâques à cause du fanatisme religieux qui régnait pendant cette période [6].

La nuit du samedi au dimanche de Pâques, on célèbre la Résurrection sur la grand'place, l'Esplanade, selon la tradition du

4. *Op. cit.*, pp. 271-2.
5. Selon le folkloriste Politis, la coutume remonte à l'Antiquité ; elle consistait à briser des pots pendant les rites funéraires pour chasser le mal. Il paraît qu'au XIXe siècle on faisait de même à Corfou. Cf. N. Politis, 1920, 77-109 ; Jervis-White, 1852, 62 ; Lamarre-Picquot, 1918, 80 et McLellan, 1835, 139.
6. Voir Jervis-White, *ibid.* et Lamarre-Picquot, *ibid.*

rite orthodoxe. Une fois de plus, les dignitaires de l'Église et de l'État participent à cette cérémonie en présence de toute la population. Outre les bougies traditionnelles aux mains de chaque fidèle, la fête s'est aussi dotée des accessoires des temps modernes : ainsi, la débauche des feux d'artifices tirés à cette occasion, recouvrant les voix des prêtres et du chœur et provoquant les hurlements des petits enfants ont les faveurs des touristes grecs. Un vrai pandémonium, qui marque la fin de la Semaine Sainte.

Pendant les mois d'été, la ville de Corfou change de rythme de vie : les pluies trop fréquentes de l'hiver et même du printemps cessent, et on commence à vivre en plein air pendant la plus grande partie de la journée. La présence de dizaines de milliers de touristes contribue à créer dans l'île cette atmosphère de bazar propre à certains lieux de vacances. Dans les rues les plus fréquentées de la ville, et même dans la campagne, à proximité de chaque hôtel, on trouve une multitude de boutiques qui vendent des souvenirs, des articles industriels dits « d'art populaire », venant d'Athènes pour la plupart, et recouvrant une gamme assez impressionnante de marchandises, depuis les inévitables « souvenirs d'Acropole » en passant par les faux bijoux et les vêtements de toute sorte, jusqu'aux reproductions d'œuvres d'art classiques qui séduisent le touriste émerveillé par la civilisation hellénique. C'est aussi tout un arsenal de services qui se met en place pendant la saison touristique : tavernes, restaurants, *« music-shops »* et boîtes de nuit, initialement destinés à la vague annuelle des touristes, mais fréquentés également par les Corfiotes, attirés par ce mode de vie de « petits bourgeois en goguette ». En effet, à part quelques touristes étrangers, présents au début de la soirée seulement, les boîtes de nuit sont surtout pleines de touristes grecs et de Corfiotes venus applaudir les performances de chanteurs de troisième catégorie en cassant des tas d'assiettes spécialement fabriquées pour cet usage. Dans ces lieux, la bouteille de whisky coûte l'équivalent du mois de pension-vieillesse d'un paysan. Fréquenter pareilles boîtes de nuit est donc signe d'une certaine aisance et de l'adoption d'un style de vie particulier. Le modèle culturel évoqué est à la fois moderne et « exotique » pour cette société corfiote, qui a toujours connu l'opposition ville-campagne, alors que le phénomène est beaucoup plus récent pour nombre de régions de la Grèce continentale, où les

agglomérations urbaines importantes ne datent que de la fin du
XIXᵉ siècle. Non seulement s'opposent dans l'île les modèles culturels locaux mais en plus, depuis quelques années, le développement
rapide du tourisme y a introduit les cultures urbaines de l'étranger,
qui se trouvent face à la « société traditionnelle méditerranéenne ».
Cette rencontre est souvent mal vécue par la population locale, qui
hésite entre la tentation du profit et la honte sociale d'avoir à
travailler au service d'autrui, comme leurs grands-pères, autrefois
paysans sans terre employés aux domaines des grands propriétaires.

Pourtant, le développement du tourisme dans l'île est le
facteur le plus important de l'ouverture de la société villageoise au
monde extérieur. Si les contacts humains, la rencontre de différentes civilisations ont certes bouleversé les rapports sociaux, ce sont
surtout les conséquences économiques de cette présence qui ont
transformé la vie sociale des villages proches des centres du
tourisme. Les champs arides des côtes ont vu leur valeur doubler
chaque année et leurs propriétaires ont commencé à se soucier de
leur exploitation touristique. D'autre part, le secteur du bâtiment a
connu un véritable âge d'or, qui a attiré des ouvriers non seulement
des villages de Corfou, mais aussi de l'Épire voisine.

Le nouveau modèle culturel s'impose surtout aux consom-
mateurs des mass-media, habitants des villages y compris, qui
regardent la télévision du café. Les paysans corfiotes, pourtant plus
proches des codes et des valeurs « occidentales », ont ainsi tendance
à céder aux modèles de consommation et de comportement fabri-
qués à Athènes, reflétant une image moderne de la société grecque.
Qu'ils soient clients ou propriétaires de ces boîtes rudimentaires
proches de la mer, ils se sentent obligés d'aimer cette atmosphère de
bruits étourdissants qu'on appelle « bouzouki » ou « greek-mu-
sic », inspirés pour la plupart des derniers « tubes » d'Athènes, et
de faire honneur au talent des chanteurs qui imitent jusqu'aux
gestes des vedettes de la capitale. Le goût n'intervient plus dans
l'adhésion à ce genre de musique. Il s'agit là, de plus en plus, du
choix d'un comportement social. Pour les jeunes, c'est un choix
essentiel, puisqu'en acceptant cela comme partie de leur propre
culture, ils ont accès à un monde plus large que celui de leur société
villageoise traditionnelle, sans beaucoup d'efforts. Les codes de
l'accès à cette communication leur sont fournis chaque jour par les

mass-media. Il devient alors très difficile, sinon utopique, de vouloir échapper à ces modèles d'une culture dominante. Les refuser signifierait se renfermer dans un monde plus étroit certes mais autarcique, ou vécu comme tel. Or ce choix est désormais impossible. La société villageoise s'est en effet ouverte depuis très longtemps vers une société plus large ; une partie de sa population d'autrefois, devenue citadine, importe, à chaque retour au village, non seulement des biens de consommation mais surtout des idées et des comportements empruntés à la ville. Tout ceci amène à souligner un paradoxe dans le comportement culturel des Corfiotes. Leur culture est traditionnellement plus ouverte à celle de l'Europe occidentale que celle de la Grèce continentale ; or le fait qu'Athènes, métropole abritant le tiers de la population grecque serve aujourd'hui de pôle culturel pour l'ensemble de la Grèce les met en quelque sorte en porte-à-faux par rapport à l'évolution « naturelle » de leur propre culture locale. Il semble en effet que, face à deux modèles de culture moderniste à l'occidentale, leur modèle propre et celui d'Athènes, les Corfiotes choisissent le modèle athénien, qui est lui-même à sa façon une interprétation de la modernité occidentale.

CHAPITRE 2

Un village corfiote :
Épiskepsi

a. Ecologie, espace villageois

Épiskepsi est un village de 680 habitants (1977), situé sur le mont Oros, à 300 mètres d'altitude, au nord-est de l'île de Corfou. Il est bâti à l'amont d'une vallée qui se forme à hauteur de l'habitat villageois et descend jusqu'à la mer, en englobant plusieurs vallées secondaires divisées par des collines. Son terroir, d'une superficie totale de 8 km², est recouvert d'oliviers pour sa majeure partie (80 %), l'huile étant le seul produit du village destiné au marché. Les Épiskepsiotes cultivent également quelques champs de céréales et de plantes fourragères, situés près de la mer, mais donnant une récolte assez médiocre.

Les catégories de l'espace à Épiskepsi présentent des particularités difficilement accessibles de l'extérieur, au premier abord, mais qui, pour les Épiskepsiotes, sont des références constantes, non seulement en matière de spatialisation et d'orientation, mais aussi de classifications sociales. Au centre se situe l'habitat villageois, *chorió,* terme qui désigne le village partout ailleurs en Grèce. Cet espace central se divise, dans le cas d'Épiskepsi, en deux moitiés, qu'on peut appeler le haut pays et le bas pays, suivant la topographie du lieu. En l'occurence, les Épiskepsiotes appellent *Panomería* le haut pays (*páno* : haut, *merià* : côté). Comme on le verra par la suite dans la description des relations sociales à l'intérieur du cadre lignager, les habitants de Panomería méprisent socialement ceux du bas pays. Ce dernier est désigné par des noms de quartiers, dont chacun renvoie à un éponyme lignager.

Autour de l'espace villageois proprement dit, se situe une zone périphérique qui, tout en étant spatialement extérieure, est considérée par les Épiskepsiotes comme intérieure en raison des activités sociales et de production qui y prennent place. En effet, le nom même de cet espace, *sóhora* (probablement contraction de *éso-* : à l'intérieur et de *hóra* : pays), souligne sa dépendance par rapport à l'habitat villageois. Dans cette zone prennent place des activités économiques qu'on peut qualifier de domestiques, non destinées au marché : c'est là que se situent jardins potagers, fours à pain, étables et poulaillers. La particularité de cet espace en ce qui concerne son rôle spécifique, c'est son statut juridique : en effet, à la différence des oliveraies et d'autres éléments du patrimoine foncier, les *sóhora* restent, le plus ouvent, propriété indivise des lignages dans la mesure où toute division leur enlève leurs fonctions essentielles. Avec les citernes et les pressoirs à huile, les *sóhora* constituent l'un des trois éléments du patrimoine indivis. Au-delà des *sóhora* prennent place les *ktímata*. Le terme désigne le concept même de « propriété ». Il s'agit d'un espace occupé par les oliveraies entre la mer et les *sóhora*. Enfin, nous trouvons l'espace sauvage, en l'occurrence la montagne *(óros)* et les fonds des vallées non cultivées *(lónghi)*.

Sur la couleur gris-vert des oliviers qui recouvrent toutes les vallées et les collines de la région, fait tache par endroits le vert foncé des cyprès, plantés en haut des collines pour couper le vent, ou parsemés parmi les oliviers, pour indiquer les limites de propriétés. C'est un paysage calme et doux, très beau, même sous la pluie qui tombe souvent sur l'île [1].

Tous les villages de la région d'Oros sont, comme Épiskepsi, des villages d'agriculteurs exploitant l'olivier. Chaque village a son ou ses propres pressoirs à huile et le produit est vendu soit à la Banque agricole de la ville de Corfou, qui offre un prix de protection, soit aux différents agents des ensembles industriels qui offrent des prix plus bas, mais achètent toute l'année, quelle que soit la quantité, tandis que la banque n'achète qu'en fonction des capacités de ses réservoirs.

Épiskepsi se trouve sur la route de montagne qui mène de la ville de Corfou, via la montagne, aux plages du nord de l'île. La

---

1. Avec 1 240 mm de précipitations par an (moyenne sur 20 ans, 1951-1970), Corfou est une des régions les plus « vertes » de la Grèce.

capitale se trouve à 30 km et l'autobus qui en vient deux fois par jour, le matin et l'après-midi, met environ 1 h 15 pour arriver à Épiskepsi, par une route étroite et sinueuse. Il dessert sur son trajet les villages de Spartílla, Sgourádes, Omalí et, après Épiskepsi, Agios Pantelémon.

La région d'Oros comprend actuellement 12 communes, situées en amont des vallées qui descendent vers la mer et qui constituent leurs finages. Pendant le Protection britannique, Oros comprenait 14 des 114 villages de l'île, sans compter la capitale et ses faubourgs. Elle couvre 18 % de la superficie totale de l'île, soit près du 5ᵉ, et, plus précisément, compte 15 % des terres cultivées, le 6ᵉ seulement, et 33 %, soit le tiers, des terres incultes. La population de la région correspond actuellement à 9 % de la population totale de l'île de Corfou. Cette région administrative peut être divisée en deux parties : d'abord les villages de montagne cultivant la vallée qui s'étend de l'habitat jusqu'à la côte, puis les villages de montagne dont le terroir s'étend vers les plaines de la région voisine, Ghýros, sans déboucher sur la côte.

La région d'Oros en tant qu'unité écologique ne fut une unité administrative que pendant une période assez courte, de 1870 à 1912, sous le nom de « Dème des Kassopaioi ». Mais dès le XVIIIᵉ siècle, tous les villages de cette région ont un terroir propre avec une agglomération principale située en amont des vallées dominant les oliveraies et les quelques champs de céréales qui s'étendent jusqu'à la côte.

Au XVIIIᵉ siècle, on retrouve 7 communes [2] composées de 8 localités, sous le nom de « Bandiera Perithia », d'après le nom d'un des villages. Ces frontières administratives coïncident, plus ou moins, avec celles de la période britannique : de 1814 à 1864, Oros constitue l'un des 7 distretti de la campagne de Corfou. Après l'union avec la Grèce (1864), l'île fut divisée en Dèmes, mais entre 1866 et 1912 les frontières administratives de la région d'Oros ont changé trois fois (11 communes en 1866, 10 en 1870, 9 en 1889). En 1912, l'île fut divisée en municipalités regroupant chacune 500 habitants à peu près, soit au total, 82 communes en dehors de la capitale. Aujourd'hui, (recensement de 1971) Corfou compte 101 communes en dehors de la municipalité de la ville.

2. Sur cette période, on possède deux recensements datés de 1759 et de 1781.

Les 12 communes actuelles d'Oros sont constituées de 62 hameaux, dispersés sur les plateaux, dans les vallées, ou près de la mer. Ces hameaux sont tous des « éclatements » des 8 villages originels recensés en 1759. Épiskepsi est le seul village de la région qui ait toujours eu un habitat compac et un terroir plus ou moins stable. Les quelques habitations isolées *(katikiés)* dispersées dans le terroir font partie de la commune (on verra plus tard que tous leurs habitants possèdent également une maison au centre du village), qui apparaît en tant que telle dès le XVIIIe siècle. C'est donc le seul village de la région qui puisse être étudié en tant qu'unité distincte tout au long de la période étudiée, et ne puisse être comparé qu'à l'ensemble de la région d'Oros qui, vu l'évolution de son habitat, ne se prête pas à une étude par « communes ». Les hameaux-satellites qui se sont formés depuis le XIXe siècle près des côtes, dans les oliveraies, ne correspondent pas toujours à un seul village, mais attirent les habitants des plateaux et des vallées situés plus haut, qui s'intallent dans leurs champs ou aux alentours.

b. *Démographie historique*

Épiskepsi a suivi la même évolution démographique que l'ensemble de l'île et la région d'Oros pendant les deux derniers siècles. Sa population, stagnante entre 1760 et 1830, connaît une faible croissance de 1830 à 1889, et, au tournant du siècle, elle commence à croître à un rythme très élevé : le taux de croissance annuelle entre 1889 et 1907 est de 1,56 %. Cet extraordinaire développement de la population a produit un déséquilibre considérable à l'intérieur de la société villageoise. La population a en effet doublé en deux générations, de 1889 à 1951.

Pendant la première moitié du XIXe siècle, Épiskepsi attirait des immigrants venus des côtes de la Grèce continentale ou même des villages voisins. Au début du XXe siècle, ce mouvement s'est inversé : la première vague d'émigration, qui apparaît en 1920-1927 est sûrement le résultat de la croissance exceptionnelle du tournant du siècle. L'économie villageoise étant incapable de l'intégrer, une partie de sa population s'est vue obligée de partir. La première vague des émigrants d'Épiskepsi est composée de gens nés pour la plupart au tournant du siècle, et arrivés à l'âge adulte dans les années 20. Tous ces émigrants s'installent comme ouvriers à Athènes, où la demande en travailleurs manuels est plus forte qu'à Corfou et les conditions de vie parfois meilleures. On se trouve en effet, en pleine période de la réforme agraire : les terres reviennent aux paysans, et les propriétés sont stabilisées. Les anciens paysans tributaires *(coloni)* sont maintenant propriétaires des terres qu'ils cultivaient en contrat perpétuel avec les grands propriétaires fonciers, ces derniers conservant leur droit de propriété sur les terres qu'ils mettaient en fermage à terme. Les conditions de l'exploitation de la terre changent donc radicalement et chaque famille se voit confrontée à un problème de deux ordres :

En premier lieu, la terre qui revient en pleine propriété aux descendants du colon originel constitue dorénavant la base de subsistance de ces derniers. Dans le système antérieur, la famille entreprenait la culture de champs ou d'oliveraies en fonction de la disponibilité de la main-d'œuvre, de la rente exigée et de ses propres besoins matériels. Depuis que les terres sont stabilisées, on peut les cultiver avec plus ou moins de soin, les laisser en friche ou les mettre en fermage si nécessaire, mais tout cela implique déjà des décisions d'un tout autre ordre à l'intérieur d'un système radicalement différent de mise en valeur.

En second lieu, pour accéder à la pleine propriété de cette terre, les paysans doivent payer une partie de sa valeur (2/5ᵉ) à l'ancien propriétaire, l'autre partie étant versée par l'État. Force est donc de s'endetter pour pouvoir conserver le droit à la propriété et, pour accumuler le capital, les membres de la famille devront s'imposer un surtravail, soit en contractant des fermages à terme *(pacto)*, soit en travaillant comme ouvriers agricoles chez les ex-seigneurs. La situation est très défavorable aux paysans, puisque la demande, en ce qui concerne les pacto ou la main-d'œuvre reste la même, tandis que l'offre est exceptionnellement importante. De plus, comme on l'a vu, il y a une disponibilité exceptionnelle de main-d'œuvre pendant les années 1920, résultat de la structure démographique particulière que l'on vient de décrire. Comte tenu de ces conditions, le taux d'émigration entre 1920 et 1927 – près de 12 % – n'est pas surprenant.

La deuxième vague d'émigration se manifeste beaucoup plus tard, dans les années 1950-1970, et semble le résultat direct de la très forte natalité des années 1920 (2,1 % de croissance annuelle entre 1920 et 1927). Par ailleurs, la conjoncture économique est tout à fait différente : pour ceux qui partent du village, le choix se situe entre une vie paysanne de petit propriétaire et une vie citadine qui offre beaucoup plus de chances qu'auparavant, que ce soit à Athènes ou à la ville de Corfou. Les émigrants ne sont plus des ouvriers potentiels, mais plutôt de petits exploitants susceptibles, en vendant leurs terres au village, de monter une petite entreprise commerciale. L'éducation offre aussi un moyen d'échapper à la vie du village : une bonne partie de ces migrants sont des jeunes qui ont reçu une éducation supérieure dans un lycée ou une école technique, et qui cherchent des postes d'employés dans les grandes villes et surtout à Athènes. Mais l'éducation universitaire, en grand honneur dans les milieux ruraux du reste de la Grèce, ne joue pas ici un grand rôle. Hormis les étudiants actuels, seules 4 personnes originaires du village sont pourvues d'un diplôme universitaire.

L'exode des années 1950-1970 s'est accompagnée d'un autre phénomène démographique de très grande importance. Dès 1940-1950, le taux de croissance naturelle baisse assez spectaculairement par rapport aux taux des deux décénnies précédentes et ce phénomène se poursuit encore aujourd'hui. Il n'est pas dû uniquement à une baisse de la population, qui résulterait du mouvement d'émigration récente, mais aussi à un processus de contrôle des naissances mis en marche dès l'après guerre. La mortalité infantile ayant très fortement diminué, il est apparu nécessaire de pratiquer un certain planning familial, de programmer, si l'on peut dire, les naissances, pour regagner un équilibre non seulement au niveau de la communauté villageoise mais également au sein de la famille en tant qu'unité économique.

C'est ainsi qu'on arrive dans les années 1950-1970 à un taux de croissance naturelle extrêmement bas (0,08 % pour la période 1951-1960 et 0,17 % pour 1961-1970), accompagné d'une forte émigration : 14,6 % pour les années 1950 et 18,1 % pour les années 1960. Au cours des années 1970, l'émigration a presque disparu, mais la population du village est toujours en baisse, en raison de la faible natalité et de l'exode des années précédentes. L'équilibre entre la force de travail disponible et les moyens de production risque à nouveau de basculer. La proportion de la population active diminue, les terres risquent d'être abandon-

TABLEAU I. — *Evolution de la population de la région d'Oros par villages et par communes* (*)

	1830	1836	1848	1879	1889	1907	1920	1928	1940	1951	1961	1971
Épiskepsi	392	434	472	561	584	740	803	854	974	1 012	872	729
Périthia	694	764	816	697	744	1 052	736	770	758	789	753	573
Loutses							414	458	546	422	397	264
Kassiopi					350	481	514	597	639	628	613	565
Signès	780	866	1 168	1 467	1 624	2 030	2 128	2 237	1 065	975	925	707
Nissaki									730	610	578	422
Gimari									484	393	372	307
Strinilla-Petaleia	617	670	743	892	978	639	481	524	681	539	534	411
Agios Pantelemon						549	649	772	672	729	716	522
Sgourades	66	71	101	166	194	228	253	285	330	319	280	246
Omali	28	30	27									
Lafki	110	98	94	151	168	202	289	484	337	361	349	278
Spartilla	460	581	661	686	641	785	808	825	875	799	742	638
Total	3 147	3 514	4 082	4 930	5 286	6 706	7 075	7 806	8 081	7 576	7 131	5 662

(*) Comme on peut le constater dans ce tableau, ainsi que dans la figure 1, les limites administratives des communes changent au fil des années. Ici on a essayé de regrouper les villages ou localités qui appartenaient très probablement à une seule commune au XIXe siècle et au début du XXe siècle. Malgré cela, il est clair que certains hameaux font partie de communes différentes dans différents recensements (par exemple Lafki et le groupe Strinilla-Petaleia-Agios Pantelémon en 1920-1928). Depuis la fin du XXe siècle, on constate un mouvement progressif des groupes de familles qui quittent les villages des plateaux pour s'installer dans ou près de leurs oliveraies sur les pentes et dans les vallée de Pantocrator. Ces nouveaux villages, qui ne sont plus du type nucléaire comme les villages anciens, regroupent souvent des familles venues de localités différentes. Ainsi la population de Agios Pantelémon (un village dispersé, avec au moins de 6 localités différentes) provient des villages situés sur les plateaux qui donnent sur la vallée actuellement habitée : Strinilla, Petaleia et Perithia. Ces trois villages sont aujourd'hui presque déserts, toute leur population étant descendue vers la mer : le site originel de Perithia ne comptait en 1971 que 10 habitants, la majeure partie de sa population s'étant installée dans des hameaux situés sur la côte. Ainsi, la commune de Perithia est actuellement dispersée en 10 localités différentes. Pour Petaleia et Strinilla, le phénomène a été le même, mais comme les limites de leurs territoires se sont déplacées depuis le XIXe siècle, leurs finages sont actuellement moins importants et la population qui a quitté le village n'appartient plus à la commune originelle.

Pour pouvoir donc étudier l'exode rural dans la région, qui est un phénomène assez récent, il faut suivre les deux sortes de mouvement de la population : d'abord la mobilité à l'intérieur des limites de la région d'Oros, ensuite l'émigration des populations paysannes vers la ville de Corfou, d'Athènes et même à l'étranger. Il est intéressant de constater que ce sont ces villages des plateaux (Strinilla-Petaleia-Lafki-Perithia) qui reçoivent presque exclusivement des chèques d'Athènes ou de l'étranger, une sorte d'aide aux parents âgés de la part des enfants immigrés. C'est dans ces mêmes villages que la population est composée en grande majorité de vieux. Actuellement, l'agriculture étant presque abandonnée et la population partie vers les villes, où on peut trouver du travail et vivre mieux qu'en cultivant légumes secs et quelques oliviers arrachés aux paysans « du bas ».

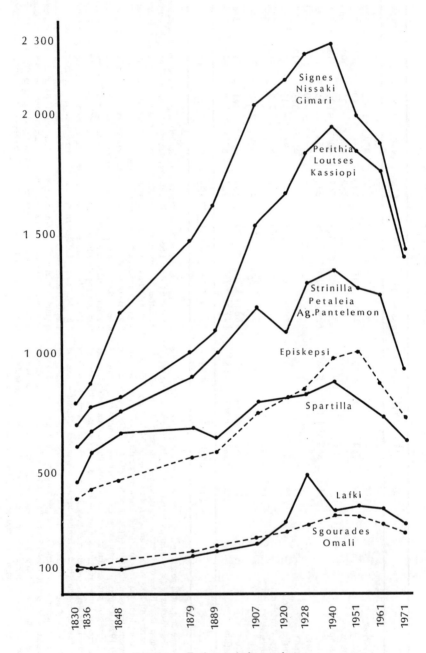

FIG. 1. — *Evolution de la population
des communes de la région d'Oros.*

nées et les activités complémentaires à l'agriculture sont de plus en plus favorisées.

Actuellement, Épiskepsi compte 212 habitants de plus de 60 ans pour 211 jeunes de moins de 30 ans dont 146 ont moins de 20 ans. Une bonne partie des jeunes entre 25 et 40 ans, originaires du village, se sont installés à la ville de Corfou et participent de manière occasionnelle à l'exploitation agricole de leurs familles. Ils sont pour la plupart petits commerçants ou employés de bureau et préfèrent une vie modeste en ville, mais agrémentée du « tout confort » des logements citadins à l'existence du petit propriétaire exploitant agricole au village, soumis à un travail quotidien en plein air, tout au long de l'hiver, pour assurer une récolte convenable.

c. La production agricole

L'olivier est une culture à production biennale à Corfou et cela depuis plusieurs siècles. En 1760 déjà, Francesco Grimani, Proveditor Generale da Mar notait dans son rapport que :

> « ... (il) prodotto si raccoglie ogni due anni, e pende sull' albero per circa tredici mesi. » (1760, 1861, 77.)

C'est en effet ce qui se passe encore aujourd'hui. Comme on ne ramasse le fruit à Corfou que lorsqu'il est par terre, ce qui varie entre décembre et mai, et que le cycle ne peut reprendre que lorsque tous les fruits sont tombés, la plupart des arbres fleurissent tous les deux ans. Le calendrier agricole varie donc d'une année sur l'autre, ou plutôt s'étale sur deux ans.

A Épiskepsi, on pratique la monoculture de l'olivier. Les autres cultures, complémentaires, sont destinées à l'auto-consommation et rarement commercialisées : il s'agit d'arbres fuitiers et de jardins potagers, de cultures céréalières et fourragères, occupant au total à peine 10 % du terroir villageois.

Le terroir du village s'étend sur 527 hectares dont 500 couverts d'oliviers parsemés d'amandiers et de noyers. Les autres cultures occupent une place minime, 36 hectares de céréales et de légumes secs, 12 hectares de potager et 6 hectares de vigne. Le blé, l'orge, le maïs et l'avoine occupent moins de 5 hectares. En revanche, le village est presque auto-suffisant en plantes fourragères : 20 hectares cultivés, qui donnent en moyenne 80 tonnes par an. Les légumes secs sont la spécialité des villages voisins situés sur les plateaux du mont *Pantocrátor*. A Épiskepsi on en sème une surface limitée, 6 hectares qui donnent 2 tonnes par an. On plante également la pomme-de-terre sur 9 hectares qui donnent 63,5 tonnes en moyenne par an, c'est-à-dire à peu près 1 kg par jour et par famille. Quant aux jardins potagers, ils occupent à peine 13 hectares, soit moins de 700 m^2 par unité domestique. Ces potagers se trouvent aux alentours de l'habitat villageois *(sóhora)* voire à l'intérieur de l'agglomération, ou encore dans les champs, près des points d'eau. Ils fournissent une partie très importante de l'alimentation de chaque famille, pendant toute l'année. Cette production de légumes correspond à environ 485 kg par an et par famille.

Les quelques arbres fruitiers du village sont dispersés dans les oliveraies ou près des potagers : agrumes, pommiers et poiriers, mais aussi amandiers et noyers. La production en fruits est destinée à la consommation locale : 20 tonnes d'orangers et de citrons pour 1 000 arbres et 20 tonnes de pommes et de poires pour 3 000 arbres. Les amandiers, plus nombreux (presque 6 000), donnent 10 tonnes d'amandes par an. Enfin 1 000 noyers donnent également presque 10 tonnes de noix.

Les vignes sont plantées dans les champs (6 hectares au total), ou bien elles grimpent le long des oliviers et des amandiers, et sur les terrasses des maisons. La qualité du raisin est plutôt médiocre et on l'utilise surtout pour produire du vin. A Épiskepsi, presque tous les foyers font leur propre vin de table, une sorte de « gros rouge » à 12 ou 13 degrés, consommé entre Noël et Pâques de l'année de production.

La culture de l'olivier enfin, monoculture du village, occupe 80 % du terroir. On estime à 75 000 les pieds d'oliviers plantés sur un espace de 455 hectares, soit 165 arbres par hectare et la production d'huile d'olive − calculée sur la base de dix ans, de 1968 à 1977 − atteint 246 tonnes par an, soit 1,270 tonne par an et par famille.

L'olivier est la culture la plus rentable aux yeux des villageois : le produit n'est pas périssable, il se stocke bien pendant des années, et son prix n'a cessé d'augmenter depuis la fin de la guerre. Ainsi, au village, ce n'est pas la superficie qui intervient pour estimer une propriété, mais le nombre d'oliviers. Les oliviers donnent richesse et prestige, et cela est encore valable aujourd'hui, bien que les prix des champs près de la mer aient vu leur valeur augmenter à cause du tourisme. Leur terre très pauvre les destinait toujours auparavant à la culture des plantes fourragères pour l'usage local. Toutefois, actuellement encore, ce sont les familles qui ont de « bons champs » au village, c'est-à-dire des oliveraies, situées un peu plus haut, qui méritent respect et prestige, bien que le prix de ces oliveraies soit de loin moins important que celui des terrains au bord de la mer.

La tendance vers la monoculture est nette, même pendant les dix dernières années, sur lesquelles on a des données détaillées (1968-1977). Les légumes secs et les céréales sont en baisse évidente, et les pommes-de-terre, ainsi que les plantes fourragères, suivent le mouvement. La diminution de ces cultures complémentaires au cours de ces dernières années va de pair avec le processus d'intégration totale de l'économie villageoise au sein de l'économie de marché.

Certes on s'approvisionne désormais chez les épiciers du village, mais comme le rendement des oliveraies est de plus en plus important et que le prix de l'huile ne cesse d'augmenter, il devient plus rentable de travailler exclusivement à l'exploitation de l'olivier et d'abandonner des cultures au rendement extrêmement faible dans la région, notamment les céréales [3]. Par ailleurs, comme les salaires ont augmenté et que le marché du travail n'est plus inaccessible pour les résidents du village, on préfère travailler ailleurs que dans l'agriculture pour compléter le revenu de la famille. L'hôtellerie offre le double avantage d'un salaire non négligeable et d'une occupation saisonnière tout à fait adaptée aux exigences de la culture de l'olivier : les hôtels emploient du personnel temporaire six mois de l'année, d'avril à octobre, précisément les mois « morts » pour les travaux agricoles à Épiskepsi.

---

3. Pendant ces dix ans (1968-1977), le rendement moyen du blé a été de 970 kg/ha ou 6,5 pour 1, celui de l'orge de 603 kg/ha, celui de l'avoine de 431 kg/ha ou 4,8 pour 1 et celui du maïs de 1 408 kg/ha. Ce sont des rendements légèrement supérieurs à ceux de la période 1830-1844.

d. Cadre de la vie matérielle et équipements collectifs à Episkepsi

Épiskepsi étant le plus grand village de la région d'Oros, il abrite de ce fait quelques services publics qui n'existent pas dans toutes les communes. Le village est ainsi doté d'un dispensaire médical, avec un médecin et une sage-femme, qui dessert 6 localités. On trouve 21 dispensaires ruraux à Corfou, dont 4 à Oros. Le village possède un seul poste de téléphone qui assure également le service des télégrammes, dans un des cafés de la place centrale du village. Un facteur, responsable du courrier de toute la région ouest d'Oros (Sgourades, Omali, Perithia, Petaleia, Strinilla, Pantelémon, Lafki : 15 localités au total) reçoit les lettres par bus tous les après-midi et distribue le courrier dans le café. Trois fois par semaine, il se rend en voiture dans les villages de sa région pour distribuer du courrier et pour recevoir des lettres à expédier, ce qui l'occupe une bonne partie de la journée. Les villages du plateau sont ceux qui reçoivent la plus grande partie des chèques qui viennent des enfants émigrés à l'étranger ou à Athènes, mais ce sont plus des « cadeaux » qu'une ressource unique pour les vieux parents : la somme totale distribuée chaque mois par le facteur dans la région n'est que de 2 000 FF environ, ce qui n'est pas très important, même si on la compare avec le montant de la retraite agricole : 215 FF pour un veuf ou une veuve et 320 FF pour un couple de retraités *tous les deux mois en 1977*.

La région a été electrifiée en 1969. Depuis, on compte 860 abonnés, dont 240 à Épiskepsi. Toutes les maisons, les cafés et les entreprises des villages disposent de l'électricité, sauf quelques hameaux de la montagne.

A Épiskepsi, on dénombrait en 1977 70 postes de télévisions, 100 réfrigérateurs et 10 machines à laver. Presque toutes les maisons ont un poste de radio et presque tous les jeunes possèdent un magnétophone.

Épiskepsi compte plusieurs petits commerces, ainsi que quelques artisans. Cinq grands cafés-épiceries, dont trois sur la place centrale, se partagent la clientèle du village. Par ailleurs, une dizaine de petits cafés vendent également des produits alimentaires et des produits d'entretien ménagers. On trouve aussi deux bouchers, un boulanger et un coiffeur, en même temps marchand de journaux. On peut acheter dans ces magasins, des médicaments de première nécessité. Deux marchands d'huile en gros, un marchand de couleurs faisant aussi office de forgeron, deux menuisiers et trois merceries complètent l'activité commerciale du village.

Le village est également visité par quelques marchands itinérants, Tziganes surtout, ou marchands venus de la côte voisine d'Épire, deux catégories « ethniques » pour lesquelles les villageois ne cachent pas leur mépris. Ils arrivent en camion, et mettent en marche un haut-parleur qui transmet de la musique populaire (*laïka*) d'un style très peu apprécié dans l'île, pour attirer l'attention des ménagères. Ils vendent des poussins, de la quincaillerie ou encore des meubles bon marché. D'autres marchands itinérants, plus modestes, viennent vendre de la mercerie, en camionnette, ou des produits locaux : poissons, fruits et légumes.

Depuis que la télévision a fait son apparition au village il n'y a presque plus de cinéma itinérant. Autrefois on faisait projeter les films sur le mur du clocher de l'église ; l'endroit était idéal : l'église de saint Basile est située dans ce que l'on appelle *Fóro* (forum) c'est-à-dire l'endroit où ont lieu toutes les fêtes et les rassemblements du village. Dans la cour de l'église, en face du clocher, sont disposées une cinquantaine de marches construites presque en forme d'amphithéâtre, qui peuvent recevoir facilement mille spectateurs. Mais devant les protestations du pope contre cette profanation des lieux, on utilise le mur extérieur de la cour de l'église comme écran de substitution et les spectateurs apportent des chaises de chez eux pour s'asseoir en face, dans la rue.

Épiskepsi est une *koinotis,* c'est-à-dire une commune de moins de 2 000 habitants. Elle élit un conseil communal de 5 membres et une secrétaire permanente qui assure tous les travaux administratifs de routine (courrier, certificats de naissance, mariage et décès, registre d'état-civil, registre de conscription), et fournit également des formulaires et des attestations pour les demandes de prêts auprès de la Banque agricole. Les membres du conseil communal sont élus au suffrage universel par les habitants du village pour une durée de 4 ans. L'administration locale a peu de pouvoirs et surtout peu de ressources, mais elle est responsable du maintien de la propriété de la commune (routes, puits, égouts, évacuation des eaux, etc.), et elle peut également entreprendre des travaux d'utilité publique, sous peine de trouver des ressources financières.

Épiskepsi dépend de la commune de Karoussades pour ce qui concerne les services de police et de Aghioi Douloï pour la justice de paix. Pour ce rendre à ces deux villages, il faut avoir un moyen de transport privé puisqu'il n'y a pas de service d'autobus. Selon les villageois, les plaintes portées pour violation de propriété et autres délits de ce genre ont sensiblement diminué depuis que le juge de paix se trouve à Aghioi Douloï. Lorsque le village dépendait de la juridiction de Corfou-ville, il était beaucoup plus facile, grâce à l'autobus, de se rendre au tribunal. Maintenant il faut faire le voyage en taxi, ce qui est trop cher.

L'école communale d'Épiskepsi comptait 53 élèves en 1976-1977, tous habitants du village. Deux instituteurs assurent l'enseignement des six premières années, qui correspondent au cycle obligatoire. Le lycée le plus proche, pour ceux qui veulent continuer leurs études, se trouve en ville et presque tous les enfants du village entre 12 et 18 ans y sont envoyés, ce qui implique une dépense considérable pour les parents qui doivent payer un loyer ou une pension à Corfou. Mais seule une partie de ces enfants arrivent à terminer leurs études au lycée. Actuellement, il y a 20 élèves d'Épiskepsi au lycée, dont 2 dans un lycée technique.

En revanche, on ne compte pas moins de quatre églises au village, dont une privée, pour un seul prêtre en poste. Vingt ans auparavant, il y en avait deux, un pour chacune des deux paroisses du village qu'on retrouve dès le XVIIIᵉ siècle. Maintenant le prêtre officie dans l'église de saint Basile qui est l'église la plus récente du village, située au centre de l'habitat. Mais, les jours de fête, on officie dans l'église du haut, Notre-Dame-la-Conductrice (*Panagia Odigitria*), la plus ancienne du village, où il y a un harmonium et où le chœur peut chanter. Un deuxième prêtre qui habite au village est responsable de la paroisse de Lafki, où il se rend à pied deux à trois fois par semaine.

e. Travaux et jours à Episkepsi

Les habitudes de consommation à Épiskepsi ont radicalement changé pendant les dix dernières années, et ce grâce à une amélioration considérable du niveau de vie des habitants du village. Aujourd'hui, les épiceries y vendent de plus en plus de produits naguère considérées comme des produits de luxe (shampooing, conserves, détergents, boissons alcoolisées), mais aussi d'articles bon marché utilisés couramment dans toutes les maisons et qui se remplacent vite. Par exemple, un magasin qui assure à lui seul à peu près 20 % des ventes en épicerie, vend chaque semaine 2 casseroles en aluminium, 2 ustensiles en plastiques (bidons, cuves, etc.), 2 paires de chaussures bon marché et 30 paquets de détergents.

Sur les cinq grands cafés-épiceries du village, les deux qui se trouvent un peu à l'écart de la place tout en étant à proximité, sont les préférés de la clientèle féminine qui n'a pas ainsi, en se rendant chez eux, à passer devant tous les hommes installés dans les cafés de la place.

La grande majorité des clients ne font de provisions que pour un ou deux jours au maximum, bien que plus de la moitié des ménages aient un réfrigérateur. Celui-ci reste plus ou moins vide, les gens n'ayant pas l'habitude d'acheter à l'avance et surtout pas de garder des plats cuisinés pour le lendemain. Le plus souvent on y met seulement des œufs, de l'eau, un morceau de fromage, de la margarine (on ne consomme pas de beurre) et parfois du lait. Les fruits sont le plus souvent gardés à la cave, la viande achetées chez le boucher quelques heures avant le repas, et les autres aliments s'achètent également au fur et à mesure.

Comme le ménage moyen ne dépend pas exclusivement des magasins du village pour son alimentation, puisque le potager est encore un élément important dans l'économie domestique, les épiceries du village fournissent surtout le type d'alimentation que l'on ne peut pas produire soi-même, ou pas en quantité suffisante. Mais, petit à petit, les produits qu'on trouve dans le commerce viennent remplacer, notamment dans le domaine des conserves, les « productions-maison ».

Par exemple, on ne fait plus de viande salée, ni de conserves de tomates. Quant aux chèvres, on les élève uniquement pour le fromage. Encore est-on prêt à abandonner l'activité dès que l'on considère que la main-d'œuvre exigée coûte trop cher à l'unité domestique. Les familles qui ont des enfants utilisent aujourd'hui couramment du lait en conserve, et l'épicier vend du fromage fabriqué en ville ou importé d'ailleurs, même à ceux qui en fabriquent chez eux. Même évolution en ce qui concerne la viande : on élève quelques animaux domestiques pour cet usage (volailles en particulier, dans toutes les familles), mais on achète aussi de la viande au boucher : même les ménages les plus pauvres en mangent une fois par semaine. Toutefois, la consommation de viande de boucherie n'est pas importante, la viande étant réservée pour les dimanches et jours de fête, mais aussi lorsqu'on a un invité ou un ouvrier pour effectuer des travaux dans la maison. Les ouvriers agricoles, eux, ont généralement droit à du poisson salé, des lentilles, des haricots, etc.

Le niveau de vie

Pendant la période de l'entre-deux guerres, comme nous l'avons vu précédemment, le village souffrait d'une crise démographique et d'une extrême pauvreté.

Même si ce tableau, brossé par les anciens du village, paraît quelque peu exagéré, il n'est tout de même pas sans fondement. Au moment de la réforme agraire, quand il a fallu payer une partie de la valeur des terres exploitées pour en avoir la pleine propriété, le paysan a dû s'endetter lourdement pour rassembler cette somme, en plus du *pacto* (contrat de fermage à court terme), conclu à l'époque dans des conditions assez défavorables aux paysans, en raison des circonstances. Après la guerre, et notamment dans les années 1950-1960, le village est entré dans une phase plus prospère. Les salaires agricoles ont été relevées, ainsi que le prix des fermages, grâce à la baisse de la population, et donc à la disposition de la main-d'œuvre bon marché, pléthorique auparavant. Le niveau de vie a commencé à s'élever dans tout le village et les habitudes paysannes acquises durant la période des vaches maigres ont changé.

Jusqu'alors en effet, les enfants d'Épiskepsi allaient le plus souvent pieds-nus ; on voit aussi telle femme se disputer avec sa sœur pour une paire de chaussures qu'elles devaient se partager pendant une fête au village, l'une se cachant derrière un olivier pendant que l'autre dansait ! A part quelques familles, les villageois portaient des vêtements de laine ou de lin confectionnés à la maison, dormaient sur des matelas de paille ou simplement sur des sacs de lin posés sur des planches. Certains étaient trop pauvres pour avoir des lampes chez eux, et bon nombre des villageois qui ont la cinquantaine se souviennent que la cheminée était la seule source de lumière pendant les nuits d'hiver. Tout le monde se rappelle également que l'on ne se lavait pas ; il en est même pour suggérer que les plus vieux du village ne l'ont jamais fait !

Quand Épiskepsi est devenu plus prospère, ses habitants ont dû d'abord apprendre non seulement à se servir des articles de consommation devenus accessibles, mais aussi à changer leurs habitudes, voire leur mode de vie.

Les familles qui habitaient naguère des maisons rudimentaires aux champs sont allées s'installer au village après la guerre et on a commencé à agrandir les maisons familiales pour les diviser en « appartements », afin de loger tout le monde. L'usage des couteaux et des fourchettes, à côté de la cuillère traditionnelle, ainsi que des assiettes individuelles, jusqu'alors privilège des gens riches, se généralise, même dans les maisons les plus pauvres. Il en va de même pour les vêtements : les femmes de plus de soixante ans portent en majorité la jupe noire traditionnelle, la chemise blanche et le veston noir et rouge, et ce aujourd'hui encore. Seules les filles de familles aisées recevaient dans leur trousseau des robes proprement dites (en coton ou en flanelle). Mais alors que tous ces vêtements étaient tissés et confectionnés à la maison, ainsi que les couvertures, on s'est mis, à partir de 1950, à les acheter tout faits.

Certes, il y a des habitudes qui n'ont pas été abandonnées malgré l'élévation du niveau de vie − et donc du niveau culturel. Les enfants par exemple sont encore élevés dans des conditions d'hygiène en-deçà des normes de l'époque. Ils restent enfermés dans leur chambre ou dans la cuisine la plus grande partie de la journée, toutes portes et fenêtres fermées « pour qu'ils n'attrapent pas froid » ; on les habille de vêtements trop lourds, même en été, si bien que dès qu'ils sortent, ils ont neuf chances sur dix « d'attraper » un rhume. Pendant l'hiver, les maisons où il y a des enfants sont toujours fermées, et l'air humide mêlé aux odeurs de cuisine constitue l'atmosphère habituelle de l'enfant, qui transpire constamment. On ouvre heureusement les fenêtres des chambres à coucher dès que tout le monde descend le matin, mais si l'enfant est malade, il devra respirer pendant toute sa maladie l'air confiné d'une maison continuellement fermée. Ainsi, lorsque deux enfants en bas âge partagent la même chambre, ils sont le plus souvent malades à tour de rôle, tout l'hiver et le printemps : leur chambre, fermée des mois durant, étant le bouillon de culture idéal pour les microbes.

Certes, on les lave plus souvent qu'autrefois, le bain n'étant plus considéré comme un moyen sûr « d'attraper » une pneumonie. Même pour les adultes, il est entré dans les mœurs, assez récemment toutefois, et la plupart des maisons n'ont pas de salle de bains proprement dite. Comme le village n'a été approvisionnée en eau courante qu'en 1969, et qu'encore maintenant, le village n'est alimenté en eau que deux ou trois fois par semaine, la plupart des maisons ont un W.C. extérieur et les gens se lavent dans la cuisine, en chauffant de l'eau dans une casserole. Depuis 1969, on a commencé à construire des salles de bains modernes et complètes, surtout à l'extérieur des maisons. En fait, c'est une dépense que tout le monde considère maintenant comme prioritaire et chaque été, surtout les années de récolte, une vingtaine de maisons de « modernisent » de cette manière. Ainsi, petit à petit, les habitudes d'hygiène évoluent, et on constate que les Épiskepsiotes préfèrent désormais dépenser de l'argent à faire construire une salle de bains plutôt qu'à moderniser la pièce d'apparat, comme c'est la règle générale dans la Grèce continentale[4].

Les habitudes alimentaires ont elles aussi évolué avec l'élévation du niveau de vie. Les repas sont un peu plus variés, on achète davantage chez l'épicier (pâtes, riz, poisson, etc.) et on se contente de moins en moins du plat quotidien de légumes cuits, accompagnés d'huile d'olive et de pain. Mais certaines habitudes résistent encore, comme la peur de cuire longtemps la pâte pour les *pitta* (ou tartes salées), toujours trop tôt sorties du four, parce que les femmes cuisinent encore la pâte de farine de blé comme si c'était de la farine de maïs, la céréale traditionnelle qui était, encore récemment, non seulement la base de l'alimentation mais qui constituait aussi souvent l'alimentation unique[5]. Voici la description des qualités extraordinaires de ce pain de maïs qu'on appelait « *bobóta* » ou « *barbarélla* » :

4. Voir Friedl, 1964.
5. Cf. Sordinas, 1976, 17 : « Bread was eaten as the primary food, not as the supplement of food... Of course, quite often there was a drop of olive oil on a chunck of cheese. But the quantities were negligible. The primary thing was to eat bread pure and simple. »

« When hot, and because of the high water content, it was like "molten lead poured into your guts" to quote an old informant. Everybody agreed that eating "bobota", when hot, invited serious gastric pain, heart burn, and could cause ulcers, so it was allowed to cool off. And it did. In a few hours this bread had become stone hard, losing all consistency, and tending to crumble on the touch. In this state it was carried in the peasant bag to be consumed night and day for the rest of the week. » (Sordinas, 1976, 18)[6].

Les conserves ne font pas partie de la cuisine traditionnelle. A part le concentré de tomates, le fromage et la viande fumée ou salée, on cuisinait et on cuisine encore le repas du soir juste avant de le consommer, et presqu'aucune recette ne demande plus d'une heure de préparation et de cuisson. Il est du reste assez fréquent que l'homme apporte, en venant du café tard le soir, de quoi faire le repas. C'est seulement le dimanche, seul jour où elles ne vont pas aux oliveraies, que les femmes se mettent à cuisiner des plats plus riches et plus compliqués.

Les familles qui possèdent des voitures ou des motos partent souvent vers la mer, surtout en été, pour se baigner – habitude tout à fait nouvelle – ou même pour passer la soirée dans un restaurant sur la côte. Le fait qu'on dispose d'argent frais, ces dernières années, a bouleversé non seulement la vie sociale au village, la communauté n'étant plus fermée sur elle-même, mais a également permis à la plus grande partie des ménages d'améliorer leur qualité de vie sur le plan de la consommation, quotidienne ou plus générale. Ce ne sont pas seulement les réfrigérateurs, les postes de télévision et les machines à laver qui ont suivi l'installation du réseau électrique au village, mais on a vu également des journaux et des magazines, des livres pour enfants et adolescents entrer couramment dans la maison.

Les jeunes, pour leur part, commencent à acheter des chaînes hi-fi, des magnétophones – surtout pour écouter de la musique « pop » ou des *bouzoúki,* mais jamais la musique populaire de Grèce continentale, considérée comme très vulgaire. Ce goût pour la musique peut même se prolonger par l'achat et la pratique d'un instrument.

6. Voir aussi la description donnée en 1929 par une femme du village d'Argyrades, au sud de l'île, à Salvanos. D'après elle, il faut faire cuire la Barbarélla dans un four pas trop chaud, pour que le pain soit bien cuit. Un four trop chaud brûlerait l'extérieur et laisserait cru l'intérieur du pain. Cf. Salvanos, 1929, 158-159.

Cela dit, on s'efforce aussi de conserver les traditions culturelles du village, avec la participation des jeunes. Le chœur du village, que le médecin, à l'église, accompagne à l'harmonium, chante aussi pendant les fêtes populaires et une partie de ses membres sont également musiciens dans l'orchestre du village. En 1977, le médecin et le chef d'orchestre ont donné des cours de musique et de chant à l'école du soir depuis peu fondée au village. Les élèves, des enfants et des jeunes femmes, ont répété deux ou trois chansons religieuses et populaires pour la fête populaire de « *Tyrini* » (fête de Carnaval) qui a lieu á Épiskepsi le dimanche avant Mardi-Gras.

Les mariages au village ont gardé les coutumes, le rituel, les fêtes traditionnelles, même si l'orchestre qui joue le soir des noces est un orchestre moderne, avec batteries et guitares électriques. Pourtant, il jouera pour tout le monde et pour tous les goûts pendant la fête.

Ces traditions populaires font partie intégrante de la vie du village, si ouvert soit-il maintenant au monde extérieur et fortement influencé par les modes, les habitudes et les conceptions citadines. C'est que le village a su s'adapter de façon étonnante à la réalité économique et sociale du pays, − elle-même radicalement modifiée ces dernières décennies − sans avoir pour autant renoncé à son identité propre, ni avoir été tenté de s'enfermer sur lui-même, face à un monde moderne considéré comme étrange et hostile.

CHAPITRE 3

Famille
et parenté :
une structure lignagère ?

a. La tentation lignagère

Qui veut décrire les relations de parenté dans la Grèce moderne se trouve aussitôt confronté aux conséquences des mutations socio-culturelles de ces dernières décennies, aux relations complexes qu'entretiennent la coutume villageoise et les lois de la société civile. Il doit aussi faire la part des conditions économiques et démographiques qui présentent de grandes variations de forme et de contenu dans l'espace et le temps. Le propos ici est d'abord de montrer comment s'opère la transmission du patrimoine foncier à Épiskepsi et, ensuite, d'établir en quoi ce processus relève plus d'un ensemble coutumier local que des prescriptions du Code civil grec de 1946. Dans cette dualité — et même contradiction — juridique, l'avantage reviendra le plus souvent au choix coutumier.

La transmission du patrimoine foncier ainsi que la nature et l'importance de la dot voient leurs modèles se transformer rapidement dans le contexte socio-démographique particulier de l'après-guerre. Quant à l'existence et au fonctionnement d'un système lignager dans ce domaine, il apparaît, pour résumer, que les lignages, tels qu'on peut en observer l'agencement au village actuellement, fonctionnent essentiellement dans le cadre de la transmission du patrimoine, en relation intime avec lui.

En quoi consistent, tout d'abord, ici, les lignages et le système lignager ? A Épiskepsi, l'identification d'un homme se fait sur trois registres de noms, qui permettent de conceptualiser ce qu'on peut appeler l'identité lignagère, au niveau du nom.

Le nom d'état-civil, d'abord, se compose, comme ailleurs, du nom de baptême *(ónoma)* et du patronyme *(epónymo,* ou *ónoma graméno,* litt. : nom écrit). Le nom de baptême se transmet selon la règle suivante : le fils aîné hérite du prénom de son grand-père paternel, le puîné se voyant attribuer celui de son grand-père maternel. Les suivants héritent soit des prénoms des ascendants en ligne agnatique directe ou collatérale, soit des prénoms des ascendants en ligne matrilatérale sans descendance mâle. Le patronyme, le nom écrit, c'est-à-dire le nom de famille qui figure sur les registres paroissiaux et les papiers d'identité, renvoie à la notion de *fára* ou *rátsa* (litt. : engeance, race). Les gens qui partagent le même patronyme sont considérés comme descendants d'un même ancêtre lointain, le plus souvent inconnu. Le sobriquet, enfin, *(paratsoúkli, paránoma),* dont l'usage généralisé, renvoie à la notion de *genià* (lignage). Il provient soit d'une qualité de l'ancêtre fondateur, d'un événement exceptionnel lié à sa personne, soit d'un dérivé de son nom de baptême (ex. : *Manthou,* cas génitif du prénom Manthos). Une *genià,* c'est l'ensemble des descendants en ligne agnatique d'un ancêtre nommé et connu.

Appartenir à une *genià* (lignage), c'est donc, d'abord, porter un des patronymes reconnus officiellement comme tels. Plusieurs lignées portant le même patronyme, appartenant donc à la même engeance *(rátsa),* se considèrent comme apparentées en ligne agnatique sans, toutefois, parvenir à faire remonter ces lignes à un ancêtre fondateur commun connu. Ainsi, la *rátsa* des *Chondroyanni* se divise en quatre *geniès,* dont tous les membres se voient accoler à leur nom de baptême le nom *(paratsoukli)* caractérisant leur lignée : *Groumbanis, Zohios, Papalambis* ou *Manthou.* Dans le cadre des relations sociales à l'intérieur du village, seuls interviennent le nom de baptême et le nom de lignée d'un individu. Dans la rue, on identifie tel individu comme, par exemple, *Anastassis Zohios,* et non pas comme *Anastassis Chondroyanni,* nom d'état-civil (nom de baptême, *ónoma* plus patronyme, *ónoma graméno)* qui figure sur ses papiers d'identité.

A partir de ces trois composantes essentielles du nom, l'appartenance lignagère s'« établit » de la manière suivante : la ligne agnatique aînée transmet *l'ónoma* (nom de baptême, unique dans le cas grec) de grand-père à petit-fils à partir de l'ancêtre éponyme. Dans les autres lignes, la référence à l'ancêtre originel

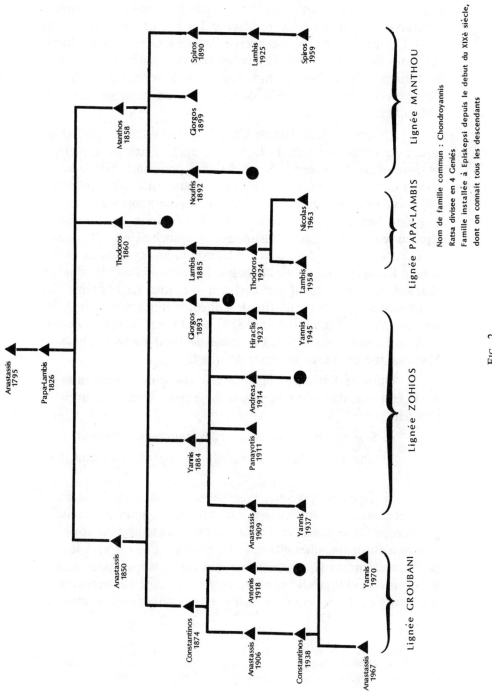

Anastassis 1795
Papa-Lambis 1826

Anastassis 1850

Thodoros 1860

Manthos 1858

Noufris 1892
Gorgos 1899
Spiros 1890
Lambis 1925
Spiros 1959

Lignée MANTHOU

Lambis 1885
Thodoros 1924
Nicolas 1963
Lambis 1958

Lignée PAPA-LAMBIS

Yannis 1884
Gorgos 1893
Panayotis 1911
Andreas 1914
Hiraclis 1923
Yannis 1945
Anastassis 1909
Yannis 1937

Lignée ZOHIOS

Constantinos 1874
Antonis 1918
Anastassis 1906
Constantinos 1938
Yannis 1970
Anastassis 1967

Lignée GROUBANI

Nom de famille commun : Chondroyannis

Ratsa divisee en 4 Geniés

Famille installée à Episkepsi depuis le debut du XIXè siècle, dont on connait tous les descendants

FIG. 2.

disparaît, remplacée par une référence aux hommes de la première génération descendante (de préférence les fils de l'ancêtre fondateur). De même, en ce qui concerne l'établissement du nom lignager (nom de *genià*) dans les branches cadettes, plus que le nom de baptême du fils de l'ancêtre fondateur, c'est le sobriquet *(paratsoukli)*, souvent du reste dérivé de son nom de baptême, qui sert d'identificateur de ligne.

L'exemple de la famille Chondroyanni est assez caractéristique : Anastassios, né en 1795, s'installe au village en se mariant avec une fille d'Épiskepsi. Son sobriquet personnel, *Groumbanis,* servira de nom de lignage jusqu'à la génération née dans les années 1880 (celle de ses arrière-petits-fils). A la génération suivante, il y a fission lignagère : les descendants de ses arrière-petits-fils se séparent en quatre sections distinctes : la branche aînée (Anastassis – Constantinos – Anastasis – Constantinos) continue à porter le nom lignager originel, *Groumbanis.* Les autres branches adoptent chacune un nom de lignée dérivant du nom de baptême des petits-fils et arrière-petits-fils de l'ancêtre fondateur. Ainsi, les descendants de Yannis (né en 1884) constituent la lignée *Zohios,* ceux de Lambis (né en 1885) la lignée de *Papa-Lambis* et ceux de Manthos (né en 1858) la lignée *Manthou.*

Outre le fait d'être identifié par ces trois composantes du nom, être membre d'un lignage c'est aussi exercer un droit de propriété sur :

a) une maison dans un quartier donné du village et

b) une partie bien déterminée du terroir villageois *(ktimata).*

A Épiskepsi, selon le modèle traditionnel, la terre se transmet dans le patrilignage. Aujourd'hui comme autrefois, le patrimoine *(perioussia,* ou *ktimata)*[1] est essentiellement constitué d'oliveraies, de quelques champs de céréales ou de cultures fourragères, et encore de la ou des maisons et dépendances appartenant à la famille. Traditionnellement, un homme partage ses terres quand il se retire de la vie active, mais il n'est pas rare qu'un homme âgé

---

1. *Perioussia,* litt. : les biens en général (terres, cheptel, biens mobiliers et immobiliers). *Ktimata,* litt. : la propriété, mais ne désigne actuellement que les terres cultivées.

meure avant d'avoir procédé à cette opération, et dans ce cas, c'est à ses fils qu'il revient de s'entendre sur le partage.

En plus des terres, transmises en ligne agnatique, existent aussi des biens lignagers. Certains types de biens appartiennent en indivision aux descendants d'un même ancêtre, par exemple des puits et des citernes, des pressoirs à huile, diverses dépendances de la maison paternelle, dont la construction, la gestion et l'exploitation furent toujours collectives, dans le seul cadre du lignage, toutefois. Par ailleurs, les terres comme les maisons forment des ensembles de propriétés appartenant individuellement aux membres de la même lignée ou du même lignage. L'habitat villageois, spatialement réparti en forme de spirale, reflète, sur le terrain, l'histoire de l'installation successive des groupes lignagers dans la région : le village est divisé en quartiers lignagers et les groupes « autochtones » (les premiers installés) occupent la zone centrale et les alentours de la grand'rue ; les autres sont dispersés dans des quartiers plus larges près du centre du village, ou bien regroupés autour de la résidence du grand propriétaire foncier local.

Ainsi, en plus d'un nom lignager, c'est l'inscription dans l'espace villageois ainsi que la transmission et la disposition du patrimoine qui définissent une structure lignagère.

En guise d'illustration de la situation actuelle, on peut se servir des documents concernant le passé en vue de donner une idée plus précise des modèles de résidence et d'héritage toujours en vigueur dans cette société traditionnelle. Que nous apprennent donc les documents des XVIIIe et XIXe siècles ?

C'est dans un document cadastral, une *anagraffi* de la *Baronia Corner,* qui possédait la plus grande partie des terres du village, que sont mentionnées pour la première fois, et de façon détaillée, les familles qui occupaient alors les terres villageoises. L'*anagraffi*, datée de 1744, mentionne 64 différents *possessori* de terres. L'ensemble des terres est divisé en 18 parcelles, la plupart étant réparties à leur tour entre plusieurs *possessori*. Ce document nous renseigne indirectement sur le mode d'appropriation et de transmission des terres.

Dans la majorité ces cas, un individu unique est mentionné comme ayant droit. Lorsque ce n'est pas le cas, ce nom unique cède la place à un nom « collectif ». Ainsi, à deux reprises, l'ayant droit est un collectif appelé « héritiers d'un tel » (*Erredi del q(uondam) Stamatello Dimitra*, héritiers de feu Stamatello Dimitra ; *Erredi del Sig. Nicolo Fiomacho*, héritiers du Seigneur Nicolo Fiomacho). Dans trois autres cas, il s'agit de frères possédant ensemble et de manière explicite un même droit sur la terre. C'est le cas ici de *Polimero, Stathi e Spiro fratelli Condini, q(uondam) Dimo* (les frères Condini, fils de feu Dimo). On rencontre enfin, moins souvent, des références à une propriété « commune » antérieure : lorsqu'une parcelle a changé de mains, on fait allusion au détenteur précédent ; dans ce cas, on trouve souvent inscrit que cette parcelle *era per avanti,* ou *era prima, del erredi del q(uondam) Stathi Zora* ou même *del Papa Andonio Dimitra con sua fraterna* (Papa Andonio Dimitra et sa fratrie).

Peut-on déduire de ces indications l'existence d'un certain type de propriété, commune aux membres d'un patrilignage ? Ces documents semblent en tout cas le suggérer. Une autre information donnée par *l'anagraffi* de 1744 concerne les propriétés transmises à des femmes ou par des femmes : 13 des habitants d'Épiskepsi ont un droit sur leur parcelle de terre *uxoris nomine* (au nom de leur femme), bien que les seules femmes mentionnées dans ce document comme *possessori* soient des veuves.

Les documents du XVIIIe siècle fournissent donc certaines indications sur le mode traditionnel de transmission de la terre d'une génération à l'autre. Ils montrent d'abord que la plus grande partie des terres appartiennent aux hommes, et que les femmes entrent en scène uniquement comme veuves ou comme épouses, dont les maris acquièrent la terre par mariage (sans qu'on puisse préciser s'il s'agit ou non d'une dot). De plus, ces données nous suggèrent qu'une partie des terres est léguée en indivision, qu'il s'agisse de la succession d'un seul individu mentionné *(erredi* et *fratelli)* ou qu'aucune référence ne soit faite à l'ancêtre originel *(fraterna).*

Pour le XIXe siècle, les données sont plus nombreuses ; le document le plus important relatif à la propriété de la terre est un recensement effectué maison par maison en 1829. Ce document concerne la totalité du village et dénombre 399 individus regroupés en 102 feux.

Ces documents indiquent, en ce qui concerne la transmission du patrimoine, que dans la pratique priorité est donnée à la voie successorale (post mortem). On peut se demander toutefois si un tel mode de transmission exclut le partage précoce du patrimoine. Deux facteurs, l'espérance de vie et l'âge des hommes au mariage agissent comme déterminants pour l'option successorale post mortem. En effet, à Épiskepsi, l'espérance de vie à l'époque est de 29 ans ; le père mourait, dans la majorité des cas, avant qu'un seul de ses fils ne fût marié [2].

L'analyse démographique du recensement de 1829 révèle qu'en règle générale, le fils marié ne vit jamais sous le même toit que son père. Par ailleurs, les chefs de famille sont toujours de sexe masculin, quel que soit leur âge, à l'exception des femmes vivant seules. Enfin, le recensement fait une fois mention d'un propriétaire collectif : *i klironomiá toú poté Stamatéllou Déndia,* c'est-à-dire les héritiers de feu Stamatello Dendia.

Le patrimoine comme référence principale d'une structure lignagère persiste également dans le Code civil ionien. En effet, de 1841 à 1946, les lois régissant l'héritage et la transmission des biens sont celles des *Codici Civile Degli Stati Uniti Delle Isole Ionie* ou Code ionien [3].

Selon ce Code, la propriété est transmise en ligne masculine aux descendants directs ; en leur absence, aux ascendants, et enfin

2. Le dépouillement des registres paroissiaux des deux églises d'Épiskepsi, pour la période 1822-1844, fait apparaître que dans 27 % des cas seulement le père du marié est vivant lors de la cérémonie de mariage.
3. D'après les historiens du droit, ce Code reflète les pratiques d'héritage de l'occupation vénitienne (1386-1797), la seule différence provenant de l'abolition du droit d'aînesse. Sous les Vénitiens, en effet, la noblesse terrienne transmettait ses biens en vertu de la règle de primogéniture, et une fille ne pouvait hériter qu'en l'absence de descendants mâles du propriétaire originel (cf. Lountzis (1856), 1969, 270). Mais on manque d'informations sur le mode de transmission des droits sur la terre chez les paysans. Pour les terres des *baronnies,* les données disponibles laissent à penser que les droits des fermiers sur la terre étaient transmis de père en fils et que tous les descendants d'un fermier étaient collectivement responsables du paiement de la rente. Les modifications apportées par le Code civil ionien sont attribuées à la volonté des autorités britanniques de diviser les grandes propriétés terriennes en exploitations moins vastes, donc plus rentables, dans un effort de « modernisation » de l'agriculture à Corfou. Permettre à tous les fils de la noblesse terrienne d'hériter a été l'un des moyens utilisés pour faire s'effondrer le féodalisme. (Cf. Papagalani, L., « Les aspects sociaux du droit de succession dans les îles ioniennes », Mémoire de maîtrise, Université de Paris V, 1973.)

aux collatéraux. Seuls les consanguins peuvent hériter, les femmes n'héritant qu'en l'absence d'héritiers mâles [4].

Nous voyons donc ce dessiner une ébauche de structure lignagère, qui s'incrit dans la durée (depuis Venise) et dans la pratique contemporaine, sur deux plans : rapport au patrimoine, règles de sa transmission, et organisation spatiale de l'habitat et des terrains de culture dans le village ; sous-jacente, cette structure lignagère devient manifeste avec l'usage des sobriquets.

Comment se manifeste le caractère lignager dans ce petit village d'agriculteurs paisibles ? C'est d'abord un mode d'identifica-

---

4. En effet, à chaque point d'articulation du lien de parenté, les hommes ont la priorité sur les femmes, et les descendants patrilinéaires excluent leurs homologues matrilinéaires. Les hommes héritent donc en fonction de la proximité de leur degré de parenté agnatique avec le défunt : les fils d'un homme ont droit à des parts égales sur le patrimoine. S'ils sont morts, leurs descendants mâles partagent également entre eux l'héritage de leurs pères respectifs (kat' issomirían kai katá rízas) (article 629).

Les descendantes en ligne directe du défunt peuvent réclamer une dot aux héritiers légaux, dont le montant (selon l'article 631 du Code) est fixé « par rapport au rang de la femme et à la fortune du défunt ». Toute femme de plus de 21 ans a droit à cette dot, même si elle ne se marie pas.

Quand un homme meurt en laissant uniquement des filles, celles-ci héritent de ses biens à parts égales (il en va de même pour les enfants de ces filles) ; mais dans ce cas, le père du défunt, s'il vit encore, reçoit en usufruit les biens de son fils, jusqu'à la fin de ses jours (article 630).

Si un homme meurt sans progéniture, sa fortune est partagée à parts égales entre son père (et au cas où le père et mort, le père de son père) et ses frères (ou leurs descendants agnatiques). Dans ce cas, la mère du défunt reçoit également une part en usufruit (articles 635 à 636).

Ce sont les collatéraux qui héritent en l'absence de descendants directs (masculins ou féminins) ou d'ascendants. Mais, là encore, c'est la ligne masculine qui prévaut. Seuls les frères, les fils ou les petits-fils des frères héritent, excluant leurs homologues féminins (article 638). En l'absence de collatéraux masculins en ligne agnatique, ce sont les sœurs du défunt qui sont considérées comme héritières, ainsi que leurs enfants mâles. Si les sœurs sont déjà mortes, ce sont encore leurs descendants mâles (et non les femmes) qui deviennent les ayant droit (article 639).

Les parents patrilatéraux excluent de l'héritage leurs homologues matrilatéraux, à degré de parenté équivalent par rapport au défunt. Lorsque les collatéraux en ligne agnatique sont plus éloignés d'un degré que ceux de la ligne féminine, ils se partagent les biens également entre eux. C'est uniquement lorsque les parents matrilatéraux sont plus proches du défunt de deux degrés qu'ils excluent les parents patrilatéraux de l'héritage. Le même mécanisme s'applique aux héritiers, hommes ou femmes, dans les catégories collatérales.

Quant au patrimoine des femmes, il est transmis de façon tout à fait différente : tous leurs descendants, hommes ou femmes, patrilatéraux ou matrilatéraux, ont droit à des parts égales.

On ne peut dire si ces règles ont été rigoureusement appliquées à Épiskepsi. Toutefois, derrière les structures domestiques révélées par le recensement de 1829, on reconnaît les lignes directrices du Code ionien.

tion et d'appartenance à une fraction de la communauté. A Épiskepsi, la famille ne s'oppose pas à l'ensemble de la communauté comme chez les *Sarakatsani* ou chez les habitants d'*Ambéli* en Grèce continentale (Campbell, 1964, 184 sq. et Du Boulay, 1974, 142 sq.). C'est plutôt le patrilignage tout entier qui fait face à l'ensemble de la communauté.

Le lignage, ou *geniá*, se définit donc comme un groupe d'individus mâles descendant d'un ancêtre commun, qui partagent non seulement le même nom de famille, mais aussi, un deuxième nom qui prend la forme d'un sobriquet. Ce deuxième nom, hérité de père en fils, reste le même pour les membres d'une même lignée pendant trois générations.

Au bout des trois générations, on constate un processus de fission lignagère comparable aux exemples africains : le lignage agnatique qui se caractérise par un nom et un sobriquet commun se divise alors en petits segments. Ceux-ci remplacent le sobriquet du lignage original par de nouveaux noms de lignée. La mémoire de la descendance d'un ancêtre commun se préserve désormais uniquement par les plus âgés et se perd chaque fois qu'un segment devient à son tour un lignage. Toutefois, le nom de famille commun est une indication d'appartenance à la même grande famille *(ràtsa)* sans que cela implique nécessairement un lien de parenté.

En d'autres termes, chaque lignage agnatique comprend les descendants mâles d'un grand-père ou d'un arrière-grand-père commun ; c'est un groupe d'agnats reconnu comme tel : le sobriquet indique précisément leur descendance commune et prend très souvent la forme d'un patronyme.

Les noms lignagers sont également attachés aux maisons et, par extension, aux quartiers. Actuellement, le plus grand lignage du village d'après le nombre de ses chefs de famille est celui de *Tsiros* ; il comprend 10 maisons différentes ; les chefs de famille sont tous des frères ou des cousins agnatiques au premier degré. Aussi leur quartier s'appelle-t-il *Tsiratica,* et il forme une section du quartier plus important de *Banatica, Banos* étant le nom de famille de ce même lignage.

Dans le cas de familles qui ont eu peu de descendants mâles, le sobriquet reste le même pendant plusieurs générations,

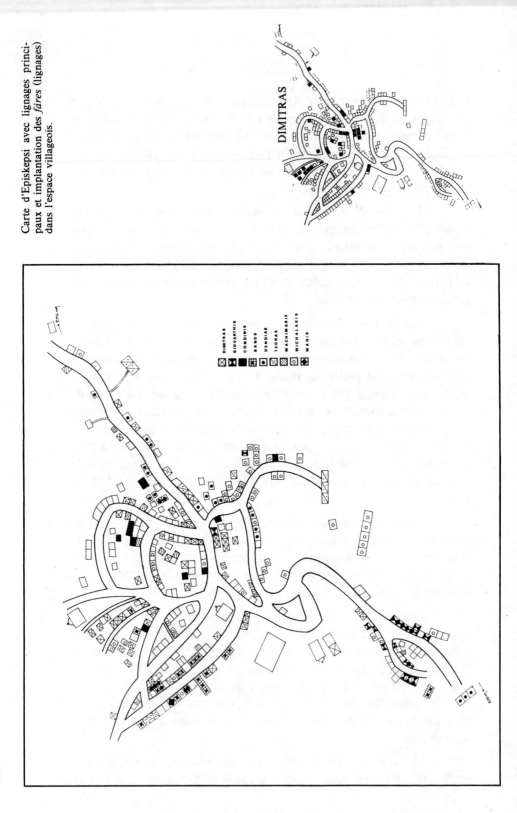

Carte d'Episkepsi avec lignages principaux et implantation des *fáres* (lignages) dans l'espace villageois.

DIMITRAS

DIMITRAS
GIOVARTHIS
CONDINIS
BANOS
DENDIAS
TZORAS
MACHIMARIS
MICHALAKIS
MANIS

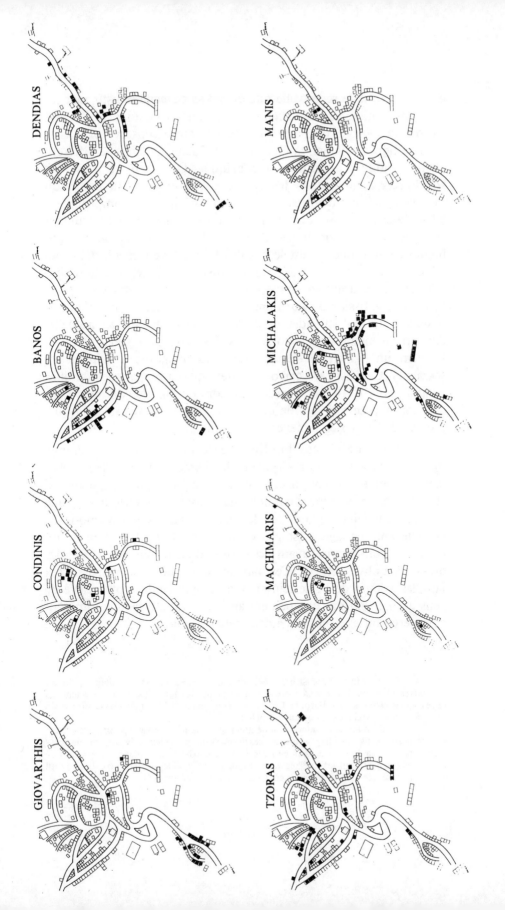

parce qu'on ne le renouvelle que quand sa capacité à distinguer les différentes branches de descendants entre elles s'épuise. Lors de la fission du lignage, on l'a vu, la branche aînée conserve parfois le nom de lignée originel, tandis que les branches cadettes se différencient à l'aide d'un nouveau sobriquet. On retrouve ainsi des sobriquets actuels dans les registres paroissiaux du début du XIXe siècle. Dans d'autres cas, le nom originel est complètement laissé de côté, et toutes les branches se redéfinissent en empruntant chacune un nom de lignée nouveau. Parfois même on n'a pas besoin de sobriquet : c'est le cas des familles venues s'installer au village, qui ont un nom de famille inusité à Épiskepsi. Ces individus, en se séparant de leurs frères et cousins ne suivent pas le processus de fission de leur lignage d'origine, et leur nom de famille indique à lui seul leur identité de lignée ; le village qui les accueille donnera le même nom à tous leurs descendants, jusqu'à ce qu'ils forment un lignage si étendu qu'il sera obligé de se séparer en segments. Ceci est rare car on constate que la plupart des familles venues après 1744[5], ont gardé leur nom de famille comme « nom de lignage », ce qui signifie qu'elles n'ont pas été capables jusqu'à présent de créer des lignages importants[6].

En général, ces familles ne se prêtent pas à l'échange matrimonial avec d'autres qui ont le même nom qu'elles, probablement parce que leur origine commune est apparente, même si elle n'est pas précisément connue, mais aussi − et surtout − parce que ce sont elles qui ont le plus besoin d'alliés « autochtones », puisque leur lignage n'est pas encore capable de leur fournir un réseau de consanguins ayant des droits collectifs sur des terres, des pressoirs à olives, etc. Ce n'est pas un hasard non plus si, parmi ces familles venues de l'extérieur, il y a un pourcentage plus élevé de gens qui ne sont pas uniquement agriculteurs, qui tiennent un petit commerce ou exercent un autre métier à côté.

5. Date du seul cadastre de l'époque vénitienne se référant au village, qu'on ait pu trouver à Corfou. Dans ce cadastre sont inscrits tous les agriculteurs qui exploitent des terres appartenant à la « Baronia Corner » : Toppologio 1744, non classé, folios 76 recto-81 verso, Archives historiques, Corfou.
6. Il est toutefois intéressant de noter que cela ne se passe pas ainsi dans le cas des étrangers venus des villages voisins : ces derniers ont gardé leur sobriquet même après leur installation à Épiskepsi, leur nom de famille, inexistant au village, n'étant tout de même pas étranger pour les Épiskepsiotes. Et, dans ce cas, l'identité lignagère du nouveau venu est préservée tout comme s'il était resté dans son propre village.

Comme on l'a vu, le système d'appellations et de transmission de noms est plus complexe encore ; ce ne sont pas seulement le nom de famille et le sobriquet qui sont hérités par les descendants, mais aussi les noms de baptême. En règle générale, le fils aîné hérite du nom du grand-père paternel, son frère cadet héritant soit du nom du grand-père maternel, soit du nom d'un oncle paternel sans descendants (ce qui peut entraîner l'héritage de cet oncle). De même, les filles héritent en succession d'aînesse du nom de la grand-mère paternelle, puis de la grand-mère maternelle, et ainsi de suite. Pour les branches cadettes, le choix est plus divers : on transmet — de préférence — les noms des aïeuls paternels qui n'ont pas déjà été « ranimés », en l'absence de descendants directs, et, d'une manière générale, le porteur du nom a un droit « d'aînesse », même fictive, s'il n'est pas descendant direct, sur le patrimoine du défunt.

Ainsi, la branche aînée d'un lignage se caractérise par une alternance des noms de baptême toutes les deux générations. Lorsqu'un membre du lignage meurt, son nom rejoint le « patrimoine » des noms lignagers à hériter par les descendants directs ou obliques. A défaut de descendants mâles, un couple peut se résigner à donner le nom du fondateur de la lignée à la dernière née de ses enfants. De même, le hasard de la mortalité infantile est souvent cause de perturbations dans le système. Les archives paroissiales contiennent de nombreuses traces de « réanimations » de frères aînés défunts par des cadets nés après leur mort.

La transmission du nom est donc reproduction symbolique du lignage agnatique, puisque le choix du nom des descendants est réglé de manière plus ou moins formelle. Ce système est aussi le reflet de la prépondérance patrilatérale dans la structure de la parentèle : les noms du lignage agnatique sont préférés à ceux de la ligne matrilatérale. La solidarité du lignage agnatique et la notion d'appartenance apparaissent dans le terme qui désigne les alliés. Les membres d'une lignée considèrent en effet comme des alliés (en grec *sympétheri*)[7] tous les membres de la famille qui a donné femme à leur lignée. Ainsi, ego peut appeler *« sympétheros »* le frère de la femme de son cousin patrilatéral, ainsi que les parents

7. De *sún* et *penthéros* : beaux-parents ; terme utilisé également pour indiquer une relation d'alliance : beaux-parents entre eux.

de cette dernière. Toute la lignée est donc partie prenante dans un échange de femmes, et tous ses membres s'allient à la famille qui a donné ou reçu une de leurs femmes. Cette solidarité lignagère a des répercussions dans les règles du mariage en vigueur dans le village.

b. Les frontières de la parentèle : synghénìs

Entre le groupe social de base qu'est l'unité domestique, formée du couple et de ses enfants, et le lignage dont on vient d'esquisser la configuration à Corfou, se situe une catégorie indigène, l'ensemble des *synghénís*, l'équivalent de la parentèle.

Pour un couple marié, le groupe des synghénís, c'est la « famille patrilatérale élargie » du côté de l'époux et la « famille patrilatérale nucléaire » du côté de l'épouse, considérées par le couple *ego* comme de proches parents. Il ne s'agit pas d'un *corporate group* proprement dit, c'est-à-dire d'un groupe de parents (et alliés) qui ont des droits et des devoirs communs et qui agissent ensemble dans certaines occasions sociales [8].

Cette « parentèle » se présente comme un groupe de parents et alliés qui s'unissent et se reconnaissent comme tels seulement à propos de ce couple *ego*, et qui se réunissent lors d'occasions sociales exceptionnelles, toujours en rapport avec l'alliance qui les a originellement réunis. Lorsque le couple a des enfants et que ceux-ci forment de nouvelles familles, les parents du côté de leur mère sont remplacés par leurs nouveaux alliés. Ainsi, un enfant mâle devra inclure dans sa propre parentèle, au moment de son mariage, des parents du côté de son épouse en les substituant aux parents du côté de sa mère, autrefois considérés par lui-même comme membres de sa parentèle. On pourrait décrire ce système comme un système cognatique à tendance patrilatérale et de bilatéralité conjoncturelle [9]. C'est un système qui élimine les femmes de chaque parentèle dès qu'elles s'éloignent du foyer paternel, et donc, en même temps, la mémoire de consanguinité par les

8. Voir les définitions de *Fortes*, M. 1953, 17-41 ; *Radcliffe-Brown*, 1950, 41 et de *J. Goody*, 1969, 95-96 et 109-110.
9. Cf. *Freeman*, 1961, 208 « An individual's recognition of the kindred is situationaly selective ».

femmes [10]. Ainsi, deux cousins issus de germains, qui tracent leur ascendance uniquement par les femmes, ne se considèrent pas comme membres de la même parentèle, mais comme cousins éloignés. Au contraire, deux cousins issus de germains à la troisième génération ascendante, qui tracent leur ascendance uniquement par les hommes, sont considérés non seulement comme cousins, mais leurs enfants — qui peuvent se marier entre eux puisque l'église le permet — sont considérés comme parents au même degré que les deux cousins issus de germains du côté féminin. Cette catégorie de cousins qui se trouvent au-delà des limites du groupe de la parentèle d'*ego* sont appelés « cousins par des germains » *(adelfoxàderfa),* ce qui indique que leur relation de consanguinité est reconnue à travers des parents en commun et non pas un seul aïeul connu — ou reconnu pour des raisons sociales. Comme la mémoire généalogique ne va pas plus loin que la troisième génération ascendante, les cousins patrilatéraux de notre cas peuvent tracer leur parenté jusqu'au couple de frères et non pas à l'ancêtre commun. C'est une relation qui n'a pas besoin d'être davantage précisée, puisqu'à travers elle sont indiquées des relations que chacun peut reconnaître à volonté. Ces parents ne sont pas des conjoints interdits à ego dans le système, même lorsque la consanguinité est évidente.

Tout se passe donc comme si trois conceptions de la notion de parentèle, toutes légèrement différentes, étaient invoquées pour définir les contours de l'unité familiale. C'est d'abord la situation décrite par Campbell, à partir de l'exemple des Sarakatsani : la parentèle, bilatérale, fixe ses limites aux descendants de deux couples de grands-parents.

L'idéologie indigène adopte une position sensiblement différente, puisque du côté des grands-parents matrilatéraux la limite de la parentèle intervient très vite : c'est le cas des cousins issus de germains par les femmes. Côté patrilatéral, la limite n'est atteinte qu'au 3e degré.

Enfin, par le jeu des distances, l'église permet de jouer avec ces limites de la parentèle, en rendant licites, par le biais des

10. C'est une structure qui ressemble fortement à celle que Leach retrouve dans les systèmes cognatiques en général (Leach, 1973, 53-58).

dispenses, les mariages pourtant définis comme illicites, parce qu'à l'intérieur de la parentèle [11].

Pour illustrer ce processus d'élimination progressive des femmes de l'espace de la parentèle, voici un exemple d'occasion sociale où cette dernière se réunit. Il s'agit d'un mariage où chaque famille des deux jeunes gens invite les *synghénís*. On l'a vu, la parentèle d'un ego marié comprend non seulement ses consanguins mais aussi ses alliés, au moins jusqu'à un certain point : à la grande fête du mariage, le jour même, on invite tous les cousins au 1ᵉʳ degré patri- ou matrilatéraux, et les cousins au 2ᵉ degré patrilatéraux *mâles* avec leurs épouses et leurs enfants. En plus sont invités les frères et sœurs du père et de la mère d'ego (qui est, dans notre cas, le père de l'enfant qui se marie, puisque c'est lui qui invite), s'ils sont en vie. Les parents mentionnés devraient constituer la moitié de la parentèle de l'enfant d'ego dans un système bilatéral, mais il n'en est pas ainsi. Ego n'invite qu'un nombre très restreint de ses alliés, membres de pa arentèle de sa femme : les frères et sœurs de cette dernière, avec leurs conjoints et enfants, et, si cela est possible pour des raisons pratiques (c'est-à-dire si ego a les moyens d'inviter un grand nombre de personnes), les cousins au 1ᵉʳ degré *patrilatéral* de sa femme et leurs familles respectives.

11. Le problème se complique encore plus si on considère que l'État hellénique, qui ne peut pas sanctionner un mariage sans le rituel ecclésiastique, interdit encore moins de parents que les règles de l'Église. Ainsi peuvent se marier des cousins du deuxième degré, en obtenant une dispense des autorités régionales de l'Église. Les paysans le savent, bien sûr, et de telles dispenses ont parfois été données à Épiskepsi. La « parentèle » *(synghénís)* comprend, pour chaque individu *ego* les collatéraux reconnus comme parents en ligne paternelle ainsi qu'en ligne maternelle. Dans la génération d'*ego,* sa parentèle comprendra donc, outre ses frères et sœurs et leurs conjoints, les enfants des frères et sœurs du père d'*ego*, les enfants des cousins germains du père d'*ego*, ainsi que les enfants des cousins issus de germains du père d'*ego*. Mais dans les deux derniers cas, les parents sont recrutés exclusivement en ligne agnatique. Du côté matrilatéral, seuls les cousins germains d'*ego*, c'est-à-dire les enfants des frères et sœurs de la mère sont inclus dans sa parentèle. La parentèle comprend donc des collatéraux qui, du côté patrilatéral, tracent leur ascendance jusqu'à un couple de frères à la troisième génération et qui, du côté matrilatéral, se limitent à ceux qui ont un ancêtre commun à la deuxième, ce qui, en grec moderne courant, tout comme en français, est ainsi indiqué : cousins au premier, au deuxième et au troisième degré du côté du père et au premier degré du côté de la mère. Il faut faire une distinction entre la parentèle d'un jeune homme et celle d'un père de famille. Dans le premier cas, les cousins patrilatéraux au troisième degré d'un individu non marié font partie de sa parentèle, puisqu'il hérite, en quelque sorte, de la parentèle de son père, où sont inclus les cousins issus de germains (2ᵉ degré) et leurs enfants. Dans le cas du père de famille, en revanche, les cousins patrilatéraux et agnatiques au troisième degré de sa parentèle de jeune homme sont exclus, et il en est de même pour ses cousins patrilatéraux mais non agnatiques au deuxième degré. Par ailleurs, du côté matrilatéral, comme on vient de l'indiquer plus haut, seuls restent inclus dans la parentèle d'un individu *ego* marié les cousins au premier degré.

Ainsi l'enfant d'ego qui se marie reconnaît comme cousins dans cette occasion formelle le maximum de ses consanguins du côté patrilatéral et un nombre restreint du côté matrilatéral. Pour les deux parentèles, les cousins privilégiés sont ceux qui appartiennent à la parentèle « restreinte » − ou patrilatérale − de chaque côté. Ainsi sont exclus les cousins tracés par les femmes : les paysans disent que la parenté entre cousins au-delà du premier degré est « *brisée* » si elle est tracée à travers les femmes. Les cousins matrilatéraux au deuxième degré sont ainsi exclus de la parentèle tout comme les cousins issus des germains patrilatéraux mais non agnatiques.

Ainsi, le groupe de la parentèle n'est pas un groupe de cognats tout à fait « symétrique », puisqu'il ne présente un symétrie que dans le recrutement des parents jusqu'à un certain degré, celui des cousins germains, qui marque la limite de la parentèle strictement cognatique. Dès lors, les parents-membres de la parentèle sont sélectionnés, et c'est la patrilatéralité plutôt que la matrilatéralité qui est décisive dans la reconnaissance de liens de parenté pour des raisons sociales. Dans notre cas, ce que Campbell appelle « *effective kindred* », résulte plutôt d'une fluidité et d'une manipulation sociale, et constitue une asymétrie inhérente au système même de la descendance et des liens de parenté qui en résultent.

c. La famille

La famille, *ikogénia* (de *Oîkos* et *génos*), est l'unité domestique, qui comprend en général le couple et ses enfants, c'est-à-dire la famille nucléaire, et parfois les grands-parents. C'est à ce niveau que toute décision d'ordre économique et social est prise pour le compte de chaque « famille individuelle ». L'unité domestique est à la fois l'unité d'exploitation, de consommation, et de reproduction ; elle répartit entre ses membres le travail aux champs, à la maison (ménage et garde des enfants) et les activités complémentaires. C'est le groupe des adultes qui décide en commun de l'organisation du travail quotidien et de la répartition de sa main-d'œuvre à long terme.

L'unité domestique est aussi le groupe le plus restreint des parents ; en effet, 56 % des ménages à Épiskepsi sont composés de familles issues d'un seul mariage et aucune unité domestique ne constitue un ménage multiple [12]. La tendance est très nette dès le XIXᵉ siècle : c'est la forme de la famille élémentaire qui domine, organisation aujourd'hui considérée comme la plus « normale ».

La famille en tant qu'unité domestique est une unité de production et de consommation. Toutes les familles, à l'exception de quelques couples et individus retraités, sont propriétaires d'un patrimoine foncier, le travail étant réparti entre leurs membres. Même dans les cas où un partage n'a pas encore été officiellement effectué entre enfants mariés et vivant de leur côté, chacun exploite une partie de la propriété paternelle pour son propre compte. Il n'y a donc pas de coopération régulière entre familles apparentées, au niveau de l'exploitation.

La composition du groupe domestique est en relation directe avec sa fonctionalité en tant qu'unité d'exploitation. Ce n'est pas par hasard que la majorité des jeunes enfants du village vivent dans des unités domestiques composées de familles complexes.

Le village compte 680 habitants, répartis entre 195 unités domestiques, qui correspondent à une famille élémentaire ou complexe, à l'exception de vingt unités composées d'individus vivant seuls. 110 d'entre elles sont ici classées comme familles élémentaires (solitaires inclus) et regroupent 39 % de la population du village. Les 85 autres unités, classées comme familles complexes, regroupent 417 individus, soit 61 % de la population du village [13]. Au total, le village compte une moyenne de 3,5 individus par unité domestique ; pour les familles élémentaires, 2,4 individus en moyenne (notons qu'il y a aussi, outre les 20 solitaires, 46 couples qui constituent un ménage chacun) contre 4,9 pour les familles complexes (voir la répartition de la population par types de ménages dans le TABLEAU II).

---

12. Les termes *unité domestique* et *ménage* sont ici employés comme synonymes.

13. 47 d'entre elles sont des familles multiples (multiple family households) selon la typologie de Laslett, c'est-à-dire regroupant plusieurs unités conjugales. On ne fait pas ici la distinction, parce qu'on ne considère pas les deux types d'unité domestique (famille complexe et famille multiple, notamment d'extension verticale) comme structurellement différentes en ce qui concerne le système de la parenté au village. En revanche, il faut noter qu'il n'y a pas d'unité domestique du type frérèche dans le village aujourd'hui.

A. Familles élémentaires	Nb. ménages	Nb. individus
1. Solitaires : 20 (8 hommes – 12 femmes)	20	20
2. Couples	46	92
3. Familles avec progéniture		
Parents _Progéniture_		
2 1	24	72
2 2	15	60
2 3	2	10
1 (veuve) 1	1	2
1 (veuve) 3	1	4
4. Frères et sœurs sans autres parents	1	3
Total	110	263

B. Familles complexes		
1. Couples de parents et de fils marié		
2 générations	9	36
2. Couples de parents et de fils marié		
3 générations	32	183
3. Couple de fils marié avec mère veuve		
2 générations	3	9
4. Couple de fils marié avec mère veuve		
3 générations	13	57
5. Couple de fils marié avec père veuf		
2 générations	1	3
6. Couple de fils marié avec père veuf		
3 générations	8	35
7. Familles complexes avec mari en gendre	7	31
8. Autres	12	63
Total	85	417
Grand total	**195**	**680**
Familles élémentaires	56 %	39 %
Familles complexes	44 %	61 %

La répartition spatiale des membres d'une famille étendue en plusieurs unités domestiques dépend des habitations disponibles et des nécessités fonctionnelles de l'unité domestique par rapport au cycle du développement familial. Elle dépend également, dans une certaine mesure, du partage de la propriété paternelle entre les enfants. C'est la raison pour laquelle une analyse démographique seule ne permet pas de saisir les mécanismes en jeu, dans la mesure où elle ne reflète qu'une image figée de la famille à un moment donné et ne peut pas rendre compte du cycle de développement familial dont le processus continu détermine l'organisation socio-économique de l'unité familiale.

S'il est vrai qu'actuellement le village compte plus de ménages constitués de familles complexes qu'en 1829, on constate cependant une tendance vers une unité domestique indépendante coïncidant avec la famille nucléaire. En premier lieu, il faut tenir compte de la particularité de la structure de la population par rapport aux classes d'âge en 1977 : les vieux sont trop nombreux et les jeunes ménages ne représentent qu'une minorité des unités domestiques. On pourrait avancer, en accord avec la théorie de Laslett, que si actuellement plus de gens vivent avec des grands-parents, c'est parce que ces derniers sont vivants (Laslett, 1965, 1976, 95).

Mais il y a plus : certes, même à Épiskepsi, les paysans affirment que « dans le passé les familles étaient plus nombreuses qu'« actuellement », et que les gens vivaient jusqu'à un âge plus avancé qu'aujourd'hui avec leurs parents, voire vivaient en famille étendue, mais c'est une affirmation qui se réfère à une époque bien particulière et de courte durée, le début du siècle en l'occurrence pour le cas du village, alors que – comme on vient de le constater – l'explosion démographique obligeait les gens à vivre autrement que par le passé. La mémoire collective, lorsqu'elle se réfère au « passé », ne renvoie pas à une période de longue durée, mais remonte rarement plus loin que trois générations, fabriquant ainsi ce mythe, tenu du reste pour une référence sociologique, très récemment encore par les historiens et les sociologues, bien qu'il n'ait de valeur que pour une époque de *crise*.

Au début du siècle, les habitants d'Épiskepsi ont dû s'adapter aux conditions nouvelles : la mortalité infantile recule et le contrôle des naissances n'est pas encore pratiqué, sans doute parce que la baisse de la mortalité infantile est longtemps vécue comme un phénomène extraordinaire. Il a donc fallu que cohabite tout ce monde, pour une courte durée, car les gens ont commencé à émigrer, aussi n'a-t-on pas eu le temps d'adapter l'habitat aux conditions nouvelles.

Pour les villageois eux-mêmes, l'important réside dans l'autonomie relative de la famille conjugale par rapport à la famille étendue, même s'il y a cohabitation. Dans toutes les familles, à l'exception de deux seulement, qui sont pour cela très mal vues au village, toute cohabitation plus étendue s'accompagne d'une organisation particulière de la maison. Chaque famille conjugale (couple de vieux parents et famille du fils, par exemple) occupe une partie bien définie et autonome de la maison : chambres à coucher séparées, le plus souvent avec une entrée indépendance, et repas pris à part, même si on partage la cuisine. Cette indépendance au niveau des repas n'a plus cours dans les familles qui ont des enfants en bas âge, car la grand-mère et la mère se partagent les travaux domestiques.

Aussi le modèle proposé par les villageois eux-mêmes et confirmé par le recensement de 1829, reposant sur une résidence néo-locale est-il la norme et a-t-il été considéré comme telle pendant au moins un siècle et demi. C'est une structure domestique fonctionnant en tant qu'unité de production, la famille qui constitue le ménage étant à la fois propriétaire et exploitant. Au niveau de la propriété, le fait que les parcelles aient toujours été très petites, comme on peut le constater dès le XVIIIe siècle, favorise l'organisation de l'unité d'exploitation au niveau de la famille nucléaire.

d. Le choix du conjoint et le marché matrimonial

1. L'établissement du lien matrimonial et les modalités de l'échange.

A Épiskepsi, il n'existe pas un système de mariage préférentiel. Le choix du conjoint est limité par les prohibitions du mariage, selon les règles de l'église et celles du système local. On peut donc se marier avec toute personne qui ne fait pas partie de sa parentèle. Mais d'autres facteurs entrent en jeu. Les Épiskepsiotes affirment que l'important n'est pas tant le statut économique du futur époux que son statut social, ou plutôt celui de son lignage. Certes, actuellement, les différenciations économiques, plus importantes qu'autrefois, jouent un rôle dans le choix du conjoint, mais il n'en était pas de même au début du siècle.

Il faut avant tout que le mariage soit arrangé, c'est-à-dire que les deux familles se mettent d'accord au préalable sur le montant de la dot, la date du mariage, etc. Les deux jeunes gens ne se choisissent pas nécessairement. Mais ils sont toujours au courant de ces négociations, et peuvent refuser d'épouser le conjoint pressenti par leurs parents. En règle générale, ce sont les parents du garçon, ou le futur mari lui-même, qui font le premier pas en envoyant un intermédiaire *(proxenitís* – homme – et *proxenítra* – femme –, de *próxenos)* chez les parents de la fille pour la demander en mariage.

Une jeune fille qui ne veut pas épouser celui qu'on lui a choisi, peut provoquer un mariage « par rapt », si elle a elle-même déjà choisi son futur époux. Le mariage par rapt est si fréquent au village, qu'on peut parler d'une institution. En effet, sur 483 mariages enregistrés au village depuis 1901, 65 ont été des mariages par rapt, soit une proportion de 13 %. Les villageoix eux-mêmes parlent d'un rapt pour dix mariages.

Le rapt constitue ainsi une sorte de révolte institutionnalisée contre la volonté des parents. Une fois la fille enlevée, il faut que le jeune couple passe une nuit ensemble, en cachette, hors du village. Le lendemain, le mariage est conclu : le père de la fille rencontre le couple et les parents du garçon, les bagues sont échangées et la dot fixée, ainsi que la date du mariage. Les parents de la fille ne peuvent pas s'opposer à cette démarche, pour ne pas mettre en péril son honneur et ils n'ont qu'à conclure le mariage le plus tôt possible. Jusqu'au jour de la cérémonie, le couple reste ensemble chez les parents du garçon, mais les rituels qui accompagnent le mariage ne changent pas pour autant, sauf peut-être en ce qui concerne le trousseau et la dot, qui sont souvent remis à la fille après la cérémonie.

Quant au rapport entre rapt et mariage entre parents proches d'un degré interdit au mariage, il faut souligner que sur cinq mariages considérés comme « interdits » à cause de la proximité parentale jugée illicite des conjoints, deux sont des mariages par rapt. En revanche, le rapt ne semble pas être la formule privilégie pour un mariage entre une héritière et son futur époux, bien que, sur dix-neuf héritières actuellement mère de famille, trois aient été mariées par rapt. Dans deux cas, le mari s'est installé en gendre, chez ses beaux-parents.

Épiskepsi est un village fortement endogame, et ce depuis le XIXe siècle, alors que la population ne dépassait guère la moitié de

TABLEAU III. — *Endogamie et exogamie villageoise 1880-1975*
(sur la base de 598 mariages enregistrés à la mairie)

Origine des époux	1880-1900		1901-1920		1921-1941		1941-1960		1961-1975		Total	
	N	%	N	%	N	%	N	%	N	%	N	%
Tous deux d'Épiskepsi	44	70	54	70	119	64	99	63	44	38	360	60
Un des époux de :												
région A	6	10	14	18	30	16	26	17	22	19	98	16
région B	1	2	3	4	8	4	5	3	12	11	30	5
région C	2	3	1	1	4	2	6	4	13	11	26	4
Corfou ville	–	–	1	1	6	3	4	3	6	5	17	3
Athènes	–	–	–	–	7	4	4	3	8	7	19	3
Ailleurs en Grèce	–	–	–	–	7	4	7	4	8	7	22	4
Origine inconnue	10	16	4	5	5	3	5	3	2	2	26	4
Total	63	101	77	99	186	100	156	100	116	100	598	99

Région A : communes limitrophes.
Région B : autres communes de la région d'Oros.
Région C : reste de l'île de Corfou.

celle d'aujourd'hui. Entre 1822 et 1844, 62 % des mariages célébrés au village étaient des mariages endogames. Plus récemment, entre 1901 et 1975, la proportion des mariages endogames demeurait la même : 63 %. Mais entre le XIXᵉ siècle et aujourd'hui, certaines tendances ont changé. Au XIXᵉ siècle, se marier à l'étranger ou avec une fille étrangère signifiait se marier hors du village mais à l'intérieur de l'île, sauf dans le cas d'émigrés qui venaient de la côte de la Grèce continentale. Au XXᵉ siècle, c'est Athènes qui fournit le plus de partenaires aux mariages exogames et ce surtout après 1920, époque de la première vague d'émigration que connaît le village. Ce sont sinon les villages voisines qui sont, au XIXᵉ comme au XXᵉ siècle, donneurs ou preneurs de femmes – mais aussi d'hommes.

A partir des années 1960, les mariages diminuent considérablement par rapport aux années précédentes. Par ailleurs, l'endogamie villageoise décroît sensiblement. Néanmoins, il faut noter que l'on compte dans ces mariages non seulement les habitants du village, mais aussi les enfants d'Épiskepsi qui se sont installés ailleurs en Grèce tout en gardant leur droit de vote au village et en étant toujours inscrits à la mairie. Ainsi, bien que, sur 116 mariages enregistrés au village depuis 1961, 62 % soient exogames, une bonne partie d'entre eux ne sont pas le fait de résidents permanents. Ceci est vrai pour la quasi-totalité des couples dont l'un des époux n'est pas originaire de l'île.

Dans ces échanges entre Épiskepsi et l'extérieur, très peu d'hommes quittent le village : quatre seulement sont partis se marier en gendres depuis 1880. Ce sont surtout les femmes qui font l'objet de l'échange : 57 femmes au total sont parties se marier à l'extérieur, soit environ 10 % des mariages, et 147 femmes sont venues de l'extérieur pendant la même période, soit environ le quart. On peut relever en outre qu'une bonne partie des mariages non-endogames proviennent du voisinage immédiat d'Épiskepsi.

Aux échanges matrimoniaux entre villages, faisant intervenir un intermédiaire jouant le rôle d'entremetteur professionnel – échanges qui ouvrent des cycles courts de réciprocité – il convient d'ajouter d'autres formes d'échanges réciproques entre les lignages d'un même village. On peut relever ainsi des réciprocités qui manipulent les normes définissant les mariages licites en jouant sur

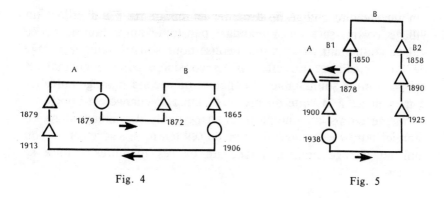

Fig. 4   Fig. 5

FIG. 4 et 5 : *Antallaghi,* échange de femmes entre lignages.

les sauts de génération entre les futurs conjoints, ou sur des formes déguisées de segmentation lignagère, pour faire perdre la trace d'une origine commune rendant l'échange illicite. Les figures 4 et 5 sont des illustrations de ces manipulations.

2. Echange entre alliés

Dans ce cadre dominé par l'endogamie villageoise, si on ne retrouve que peu de cas d'échanges entre alliés, il en va très différemment pour ce qui est des échanges de femmes entre deux villages. Comme le mariage virilocal est la règle dans la région et que la dot de la femme en biens immeubles a toujours été inférieure à la part des garçons, c'est la femme qui quitte la maison paternelle pour s'installer dans celle de son époux.

Tout mariage, même « d'amour », est toujours mis en place par un intermédiaire qui établit les relations entre les deux familles respectives et transmet les messages, pendant les premiers contacts.

Un intermédiaire chargé de demander en mariage une fille d'un village voisin, sera aussi mandaté par toute autre famille de ce village souhaitant trouver une épouse pour son fils dans le village de l'intermédiaire. En effet, il est considéré comme normal, et même comme souhaitable de conclure un second mariage entre les deux villages à la suite du premier. Ainsi, l'échange est bouclé et, en même temps, aucune partie n'est perdante. Le lignage dans un premier temps « donneur » d'une de ces femmes, s'adressera à son tour au lignage preneur quand un de ces membres voudra se marier.

e. Les rituels du mariage

Un lien matrimonial établi dans les règles suppose un accord des deux familles, par le truchement d'un intermédiaire, sur le montant de la dot de la future épouse mais aussi sur la part de l'héritage promis au futur gendre. Tel est le premier sujet de discussion entre le *proxenitís* (intermédiaire), qui représente d'une part le futur époux et sa famille et, de l'autre, la famille de la fille. Cette phase peut durer plusieurs semaines, et c'est toujours l'intermédiaire qui est chargé du marchandage. Pour conclure l'accord, on se rassemble dans la maison du futur gendre, en présence de l'intermédiaire et de deux ou trois hommes de chaque côté. A la fin de cette rencontre, le futur mari charge l'intermédiaire d'aller remettre une bague de fiançailles à sa fiancée. En même temps, un des hommes de la famille du jeune homme tire un coup de fusil pour avertir la fiancée. La bague est accompagnée du *Kokkino-mándilo* (litt. mouchoir rouge) qui contient des gâteaux, des amandes et une bouteille d'alcool (généralement des alcools et eaux de vie sucrés, de marque commerciale mais, dans la mesure où il s'agit d'une sorte de *rich-food,* on peut aller jusqu'à envoyer une bouteille de whisky). Le soir même, on dîne chez la fiancée, qui a déjà préparé ses propres cadeaux pour son fiancé et sa famille : une paire de chaussettes dans un mouchoir blanc pour chacun des hommes, un foulard ou une ceinture tissée pour chacune des femmes de la famille du fiancé et, pour ce dernier, des chaussettes, une ou deux chemises et des mouchoirs.

Jusque dans les années 1920, on faisait également une cérémonie de fiançailles, chez la fiancée, pendant laquelle le prêtre venait bénir le couple. Cette cérémonie était, elle aussi, suivie d'une fête où participaient les parents de chaque côté. Aujourd'hui, c'est l'accord entre les deux familles et le dîner qui le suit immédiatement qui tiennent lieu de fiançailles officielles, les deux fiancés étant dorénavant appelés mari et femme. La fiancée peut recevoir sont futur époux chez elle après cette cérémonie, même seule, mais elle n'a pas le droit d'aller chez sa belle famille avant la cérémonie du mariage [14] proprement dit. Celle-ci a toujours lieu un dimanche. Le mercredi précédent, vers 10 heures, on procède au « nouement » *(déssimo)* du trousseau de la fiancée, chez elle, entre proches parents des deux côtés. Actuellement, ce rituel est ainsi simplifié : la fiancée rassemble son trousseau dans une pièce de la maison et toutes les femmes rassemblées l'aident à nouer chaque article ou même deux à la fois avec de petits rubans multicolores avant d'entasser le tout au salon. C'est là tout ce qui reste d'une cérémonie plus solennelle pendant laquelle on notait sur une liste le contenu de chaque paquet avant de l'attacher avec un ruban. Ce document servait le vendredi suivant à identifier chaque lot, lors du transport du trousseau entre les deux maisons. A midi, les parents déjeunent ensemble, chez la fiancée, d'un repas entièrement cuisiné et servi par elle-même. Normalement, dit-on, elle n'a pas le droit de s'asseoir à table, et elle doit attendre la fin du repas pour manger seule dans la cuisine. Cette cérémonie, où les femmes jouent les premiers rôles, a une signification particulière pour la fiancée. C'est la première fois qu'elle reçoit ses beaux parents chez elle, quelques jours avant d'aller habiter chez eux, dans leur propre maison ou dans le quartier. Elle doit donc faire preuve de tous ses talents de ménagère accomplie : le matin elle expose son trousseau qui est le fruit de son propre travail au métier et à l'aiguille (aujourd'hui encore la jeune fille, dès l'âge de douze ans, travaille à la confection de la plus grande partie de ce trousseau) et à midi, elle

14. Cette pratique de la bénédiction des fiançailles par le pope, a été interdite dès le IXᵉ siècle, quand l'Église a fondu dans le même office la cérémonie des fiançailles *(aravón)* à celle du mariage *(stépsis)*. On dit en effet dans le village qu'un couple s'est marié *(pandréftikan)* lorsque l'accord a été conclu. La cérémonie du mariage proprement dit est indiquée comme *stefanómata* littéralement : couronnements (du couple), en référence au rituel de l'Église : en effet, pendant la cérémonie des fiançailles, on échange des bagues et pendant celle du mariage, tout de suite après, des couronnes.

doit faire apprécier à ses beaux-parents ses talents de cuisinière. Même si ajourd'hui la dot joue un rôle plus important qu'il y a vingt ou trente ans, on considère toujours comme un atout important les aptitudes de la future mariée aux travaux domestiques et aux travaux des champs.

Si les jeunes filles d'aujourd'hui préfèrent se marier en ville plutôt qu'au village c'est justement pour éviter de travailler aux champs, tous les jours, sous la pluie et le vent. Même celles qui se marient au village évitent d'aller aux champs tant que leur belle-mère est là pour travailler avec le reste de la famille, surtout lorsque les enfants sont trop petits. Aux yeux d'une famille qui recherche une épouse pour son fils agriculteur, l'aptitude de la jeune femme au travail, qualité rare, l'emportera sur le poids de la dot. C'est donc lors de la cérémonie du mercredi que les parents du fiancé confirment leur choix devant leur propre famille, qui est là pour apprécier les talents de la fiancée.

Le surlendemain, les parents du fiancé accompagnent ce dernier chez la fiancée pour l'aider à transporter le trousseau chez lui. Cette fois-ci, les parents sont plus nombreux de chaque côté, et la famille du fiancé vient avec plusieurs voitures pour pouvoir transporter le trousseau jusqu'à Épiskepsi. Le fiancé arrive chez sa fiancée avec ses parents, précédé par des musiciens et tout le monde rassemblé reste prendre un verre − toujours servi par la fiancée − tout en admirant le trousseau. Lorsqu'il s'agit d'un mariage entre deux jeunes gens du même village, le trousseau est transporté d'une maison à l'autre à pied, sur la tête des parents du fiancé. Dans le premier cas, ils le transportent de la maison de la fiancée aux voitures, précédés par les musiciens qui jouent de la musique populaire (choriátika, ou laïkà). Au village du fiancé, la procession reprend des voitures jusqu'à la maison, en grande pompe, toujours précédée par les musiciens. Les frères et les cousins du fiancé ont le privilège de transporter la literie du nouveau couple. Sous chaque paquet qu'ils transportent, il y a un mouchoir blanc qu'ils emportent comme souvenir et porte-bonheur [15].

---

15. Cette cérémonie peut avoir lieu un dimanche. Dans ce cas, la cérémonie du mercredi a lieu le jeudi précédent, et le dimanche suivant (une semaine avant le mariage) on transporte le trousseau. Dans ce cas, le trousseau est transporté à travers la place du village sur la tête des parents du fiancé, pour que tout le monde l'admire. Mais comme, dans la semaine, tous les habitants du village sont aux champs, on prend le chemin le plus court.

Tous ceux qui rencontrent le cortège en route forment des vœux pour les jeunes fiancés et jettent du riz[16]. Dans l'exemple présenté, la mariée s'est rendue, accompagnée de ses parents, à Épiskepsi. Néanmoins, la coutume voulait qu'elle restât seule chez elle, pendant que ses parents accompagnaient les *sympethéri* jusqu'à leur maison.

A Épiskepsi, le cortège se rassemble derrière les musiciens, et on se dirige vers la maisons des futurs époux. Le trousseau est alors rangé par les sœurs et les cousines de la fiancée, qui préparent le lit des jeunes mariés, où l'on jette du riz, et comme porte-bonheur, un tout jeune garçon. Cela fait, les femmes du côté du fiancé vont dans la chambre des mariés et dans les autres pièces de la maison pour admirer le trousseau de la fiancée. On offre ensuite à boire à tous les invités et, le soir, les plus proches parents de la fiancée restent pour dîner avec la belle-famille.

Le dimanche du mariage, chacune des deux familles invite sa parentèle ainsi que ses voisins et amis pour assister à la cérémonie religieuse qui, selon la tradition a lieu à la paroisse de la fiancée. Le jeune marié attend l'arrivée de la mariée à la porte de l'église, et lui offre des fleurs. La mariée fait tout le chemin à pied, à côté de son père, suivie par ses proches parents. Tout le long du chemin elle doit regarder droit devant elle, sans jamais se retourner[17]. Autrefois, le marié lui donnait de l'argent à la porte de l'église, qu'elle devait tout de suite jeter derrière elle, toujours sans se retourner. Ces pièces, ramassées par les enfants, sont censées porter bonheur. Après l'office, le couple sort le premier de l'église et reste à la porte pour recevoir les vœux des invités. C'est à ce moment-là, aujourd'hui, que la mariée jette des pièces de monnaie aux enfants rassemblés devant elle, ainsi que les fleurs de son bouquet.

Tout de suite après, les invités vont fêter le mariage. Autrefois, on faisait la fête soit dans la maison du marié, et c'était alors à sa charge, soit dans les deux maisons à la fois, chacun invitant ses propres parents. Les parents et amis apportaient en

16. On jette du riz, symbole d'abondance, pour une autre occasion également : pendant la danse rituelle qui fait partie de la cérémonie du mariage dans le rituel orthodoxe.
17. Même chose, pour ceux qui transportent le trousseau le vendredi après-midi, ne pas regarder derrière soi signifiant ne pas regretter l'acte que l'on vient de faire.

a. Parents du fiancé :

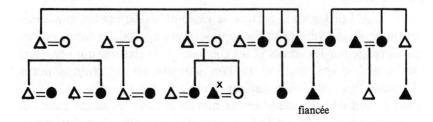

fiancée

(x) Celui-ci est invité en tant que chauffeur.

b. Parents de la fiancée [1] :

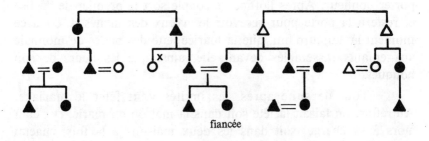

fiancée

(x) Emigrée.

(1) Comme la fiancée n'a qu'une cousine au 1er degré, elle a invité ses cousins au 2e degré.

guise de cadeaux, des plats préparés pour servir à la fête. Aujourd'hui, les cadeaux sont apportés à la maison du couple entre le vendredi et le dimanche, de l'argent le plus souvent.

Dans notre exemple, la fête qui a suivi ce mariage était une fête « moderne » : le jeune marié a transporté en autocar tous les invités (185) jusqu'à un restaurant près de la ville, pour manger et danser jusqu'au petit matin, le transport, le restaurant, ainsi que l'orchestre qui jouait toute la soirée étant à sa charge. Les danses ont été très variées, depuis la danse traditionnelle populaire de Corfou où tout le monde se lève pour danser (le *choriatikos*, litt. : danse villageoise) jusqu'aux danses « modernes » : syrtaki, slow, etc.

La fête du mariage est non seulement l'occasion de rassembler la parentèle en réactivant des relations de parenté en sommeil d'ordinaire mais c'est aussi une occasion pour maintenir des relations sociales ou rompre avec ses parents. Inviter un membre de la parentèle avec qui on ne s'entend plus très bien est un signe indiscutable de bonne volonté de la part de celui qui invite. Ceci est aussi valable pour les voisins (parents ou non) avec qui on peut être en mauvais termes pendant un certain temps. Le mariage est une occasion unique pour rétablir ses relations au sein de la société villageoise, qui se rassemble autour de cette fête au travers des relations de parenté et d'amitié.

Outre les membres de la parentèle qu'on invite à la fête, on peut inviter d'autres parents, plus éloignés, si on veut maintenir une relation qui repose sur la parenté surtout s'il s'agit de gens importants, qui ont un certain pouvoir au sein de la communauté ou des relations utiles dans la ville. Rechercher une telle amitié à travers des liens de parenté ou non, est une pratique sociale jugée honnête et sage. Comme les Épiskepsiotes le disent eux-mêmes, « la famille est trop petite pour savoir ou pouvoir toujours défendre ses intérêts, et, le moment venu, elle doit pouvoir compter sur des parents et des amis. »

Mais c'est surtout la parentèle qui joue ce rôle pour chaque famille individuelle, et c'est avec elle qu'il faut surtout maintenir des rapports. Une famille isolée de sa propre parentèle n'a pas beaucoup de chances de réussir dans des relations d'amitié avec des « étrangers » (non-parents).

Une semaine après la cérémonie du mariage, le dimanche suivant, le couple va chez les parents de la fille. Cette visite, la première que la jeune mariée rend à ses parents, s'appelle « *ta epistrófia* » c'est-à-dire retours. C'est le moment de raconter sa nouvelle vie de femme mariée, de regretter sa vie de jeune fille sans soucis : la mère et la fille pleurent pendant cette rencontre et, pour une seule journée, elles redeviennent mère et enfant. C'est la mère qui sert le couple pendant le déjeuner, qui fait la vaisselle, qui offre le café. La mariée est une hôte chez elle, elle ne doit pas aider sa mère. On tient beaucoup à cette coutume au village, toutes les femmes interrogées sur ce point ont répondu que c'est un moment très attendu dès le lendemain du mariage, et toutes ont affirmé qu'il est impossible de ne pas pleurer. C'est le moment où l'on retrouve un monde abandonné pour toujours, un moment pénible, même si on se sent très heureuse avec son mari.

f. La division du travail et les rôles familiaux

Pour une famille d'exploitants à part entière, la division du travail au sein du ménage suit des règles précises. Dans le domaine de l'agriculture, hommes et femmes travaillent ensemble dans les mêmes activités mais en se répartissant les tâches.

Les femmes travaillent dans la même parcelle que les hommes, mais en les suivant, en quelque sorte. Les hommes travaillent debout, les femmes accroupies : pendant la récolte, les hommes s'occupent des filets tandis que les femmes ramassent les olives, souvent une à une, au sol. En règle générale, dit-on, les hommes font les travaux durs et les femmes ceux qui demandent moins de force : ce sont les hommes qui transportent les fruits, taillent les arbres, travaillent à la houe ou à la pioche, manient les machines à pulvériser. Les femmes travaillent au râteau, à la fourche, ou ramassent les olives dans leurs paniers. Cette division s'applique également aux autres cultures. Au potager, par exemple, on travaille généralement en commun, mais ce sont surtout les femmes − à part quelques retraités − qui récoltent les salades et les herbes, cultivées ou non. Comme le plat de tous les jours consiste, pour une grande partie des ménages, en légumes cuits, flottant ou presque dans l'huile d'olive, accompagnés de pain et de fromage, les femmes font cette cueillette presque tous les jours.

Presque toutes les familles du village fabriquent leur propre vin : le plus souvent, on achète le raisin au marché et on le fait fouler aux deux pressoirs à huile convertis en pressoirs à vin au village. Quelques-uns font ce foulage eux-mêmes. Dans toutes les maisons, on boit du vin à tous les repas du soir, qu'il soit fabriqué sur place ou acheté au café-épicerie. Pour ce qui est des travaux domestiques, les femmes sont en général responsables des animaux « producteurs » : poules, volailles, chèvres, etc., surtout lorsque ceux-ci sont gardés près de la maison. Les chèvres sont le plus souvent confiées aux vieilles femmes, qui les emmènent avec elles aux champs et les font rentrer le soir. Toutes les femmes fabriquent leur propre fromage de chèvre, qu'elles conservent dans du sel. C'est un formage sec et dur, souvent très salé, que l'on emporte aux oliveraies avec du pain, des oignons et parfois des tomates, pendant les mois de travail.

Lorsqu'il y a deux femmes à la maison, une belle-mère et une bru par exemple, elles se partagent les travaux domestiques. La plus jeune fait les gros travaux (lessive, nettoyage de la maison) et reste le plus souvent au village lorsque ses enfants sont trop petits pour aller à l'école. Comme ces femmes qui ont des enfants petits vivent souvent avec leurs beaux-parents et que, généralement, leur mari n'est agriculteur que pendant une partie de l'année, elles préfèrent rester chez elles plutôt que d'aller aux oliveraies avec les vieux. En revanche, lorsque le mari est agriculteur à part entière, la femme travaille avec lui aux oliveraies et préfère laisser sa belle-mère au village pour s'occuper des enfants. Même lorsque les enfants vont à l'école primaire au village, il y a toujours une femme qui les attend à la maison à la sortie des classes non seulement pour leur donner à manger, mais également pour éviter qu'ils ne « traînent dans les rues ».

Les hommes, une fois rentrés au village, ont peu de responsabilités : ils doivent s'occuper des bêtes de somme (petit à petit remplacées par des tracteurs et des camionnettes) et des courses dans le cas où la femme n'a pas eu le temps d'aller au café-épicerie *(stà magasià)* pendant la journée. Les femmes ne fréquentent ces magasins qu'aux heures « creuses » : dès que le soir tombe et que les hommes commencent à s'entasser dans les cafés pour « boire un coup » *(yà éna oúzo),* regarder la télévision ou jouer aux cartes, les femmes ne se hasardent plus jusqu'à la place du village. Comme les maisons n'ont pas toutes un téléviseur, c'est entre voisines qu'on regarde son feuilleton préféré, tout en tricotant, et on part dès que le programme est terminé.

Les courses en ville ne sont plus le privilège des hommes, puisqu'actuellement une bonne partie des mères de famille vont rendre visite à leurs enfants lycéens qui sont en pension, souvent chez des parents, à Corfou. Presque tous les enfants qui vont au lycée en ville ne rentrent au village que les week-ends. Le voyage, qui coûte 6 F aller-retour et 3,50 F pour les élèves, n'est pas cher, mais les parents à Épiskepsi considèrent que le trajet est trop long (1 h 30 pour un parcours de 30 km dont 10 km en montagne) et comme la fin des cours, pour les petites classes, ne coïncide pas avec le départ de l'autobus, les enfants se retrouvent le plus souvent à errer dans la ville pendant plus d'une heure, en attendant le bus du retour, et ne déjeunent qu'à leur arrivée au village. L'autobus quotidien passe le matin à 7 heures et rentre l'après-midi à 15 h 30.

g. *Les ressources complémentaires*

La division du travail au sein de l'unité domestique est le résultat d'une décision prise en commun par tous les adultes. Lorsque la propriété du ménage est trop petite pour occuper tous les membres actifs, ou lorsque ceux-ci trouvent un travail plus « rentable » à l'extérieur, comme ouvriers au village, ou comme travailleurs en ville, dans l'hôtellerie, le bâtiment, etc., l'exploitation familiale revient alors aux membres les plus vieux de la maison. Des 195 unités domestiques du villages, 104 seulement vivent exclusivement de la culture de leurs propres terres, dont 46 ménages composés exclusivement de personnes qui ont plus de 65 ans. Les autres familles du villages exercent une activité complémentaire à l'exploitation des terres dont elles sont propriétaires.

Comme Épiskepsi est relativement isolée du point de vue des communications, travailler en ville ou même dans les hôtels les plus proches, à 5 ou 10 km, implique une migration temporaire, ou la possession d'une voiture privée. Au premier stade de l'émigration vers Corfou, le fils quitte sa famille pour travailler en ville et revient deux ou trois fois par semaine chez lui au village. Au stade suivant, il s'achète une moto pour pouvoir rentrer au village plus facilement. En fait, les visites chez les parents n'en deviennent pas plus nombreuses pour autant. Au troisième stade, le jeune homme se marie, s'installe en ville avec sa femme (très souvent originaire elle aussi du village) et ses enfants, et ne vient que tous les dimanches, comme tous les Épiskepsiotes qui habitent Corfou.

Le départ des visiteurs en fin d'après-midi, est un moment pénible pour ceux qui restent et qui ressentent toujours, même quand ce n'est pas explicite, une certaine envie, un sentiment d'amertume, à comparer la vie des citadins à la leur, à penser qu'une nouvelle semaine les attend, pendant laquelle ils travailleront sous la pluie et dans la boue, tandis que le frère, le cousin, la belle-sœur seront au sec, au travail ou à la maison, entre gens « propres ». On a beau dire que la vie au village est plus agréable lorsqu'on ne dépend que de soi-même, qu'on travaille pour son propre compte, qu'il vaut mieux être petit propriétaire exploitant qu'employé ou ouvrier en ville, à la merci des humeurs ou des désirs du patron, on nourrit toujours néanmoins une certaine rancune contre le monde « civilisé », qui n'a permis au village d'avoir l'électricité qu'en 1969, l'eau courante en 1970 et qui lui refuse toujours d'autres facilités dont toutes les couches de la population de la ville ne sauraient se passer désormais. Le changement dans les relations entre parents et enfants installés en ville passe principalement par le rapport économique qui existe entre eux : lorsque l'enfant gagne sa vie confortablement, s'il a un revenu supérieur à celui de ses parents, l'enfant n'appartient plus au ménage de son père ; exerçant une activité complémentaire, il est un habitant de la ville à part entière.

Les femmes n'émigrent pas en ville, en règle générale. Le travail qu'elles peuvent y trouver est celui d'une ouvrière non qualifiée, ou d'une femme de ménage, situation très inférieure économiquement et socialement par rapport à celle de leurs familles au village. Mais actuellement, comme le taux de fréquentation du lycée augmente, on constate une tendance chez les filles à chercher du travail en ville, à la fin de leurs études, dans des entreprises ou dans des banques.

h. Le problème de l'éducation

Aujourd'hui, dans une société telle que celle d'Épiskepsi, qui s'ouvre au monde extérieur en profitant des chances qui lui sont offertes par la conjoncture économique (développement spectaculaire du tourisme dans les années 1960 et 1970 à Corfou), comment la famille, en tant qu'unité sociale, réagit-elle ? Comment s'adapte-t-elle aux conditions nouvelles sans pour autant se désorganiser complètement en tant qu'unité de production et de consommation, mais aussi en tant que structure sociale élémentaire ?

La crise la plus profonde que le village ait connue, semble celle de l'entre-deux guerres, pendant laquelle tout se bouleverse : la population devient trop nombreuse, les rapports économiques changent brusquement lorsque les anciens colons deviennent de petits propriétaires indépendants, l'émigration se présente comme une des seules solutions pour les plus pauvres et les plus défavorisés au village. Depuis 1950-1960, la société villageoise commence à se stabiliser : le contrôle des naissances, réaction à l'augmentation trop rapide de la population des années précédentes commence à donner des résultats positifs. L'émigration s'apaise, les cultures sont en pleine expansion, tout le terroir du village est désormais complètement défriché et les oliviers plantés dans les années 1920-1930 commencent à être productifs.

Mais pendant toute cette période tumultueuse, on a eu très peu de temps pour penser à autre chose qu'à sa propre survie et à celle de ses enfants. La richesse relative du village par rapport à d'autres villages de Corfou, la répartition assez égalitaire de la propriété entre les familles, l'évidente rentabilité de la monoculture de l'olivier, vu que le prix de l'huile d'olive augmente toujours chaque année, sont autant de raisons qui ont conduit les villageois à se juger plus favorisés que les citadins, surtout par rapport aux émigrés des années vingt, devenus pour la plupart ouvriers à Athènes ou ailleurs.

Pour l'heure, l'éducation des enfants, longtemps considérée en Grèce par les couches les plus défavorisées comme le moyen par excellence d'ascension sociale, ne semble pas avoir joué ce rôle à Épiskepsi. Les quelques familles qui ont envoyé leurs enfants au lycée puis à l'université dans la période 1950-1960, n'étaient pas défavorisées, et elles étaient surtout peu nombreuses. Actuellement, l'éducation des enfants est considérée non pas comme un facteur d'élévation sociale, mais comme la voie normale pour un enfant doué, à condition que ses parents aient les moyens de l'aider pendant ses études.

Les réformes récentes de l'Éducation nationale, qui ont instauré un processus de sélection à tous les niveaux de la carrière scolaire, et introduit l'enseignement technique dans les lycées et les écoles spécialisées, ont amené les filles et les fils d'agriculteurs financièrement à même de poursuivre leurs études, à rechercher plutôt une formation professionnelle, dans des écoles techniques ou à l'université, qu'un emploi dans la fonction publique par la voie universitaire.

Ainsi, on peut dénombrer trois enfants du village, aujourd'hui installés à Athènes, qui ont fait leurs études pendant les années 1960 dans une école technique de la capitale. Trois autres Épiskepsiotes poursuivent actuellement à Corfou des études spécialisées au niveau de l'enseignement secondaire, tandis que trois autres encore ont quitté ces écoles avant la fin de leurs études. On compte également cinq étudiants dont les familles habitent le village, quatre filles et un garçon, qui poursuivent leurs études à l'Université. Un seul (une fille) a choisi la faculté de Droit, de loin la plus importante en Grèce, sous l'angle du nombre d'étudiants, depuis la fin du XIXᵉ siècle. Il faut savoir que c'est la faculté qui reste la voie royale vers une carrière de fonctionnaire.

Mais dans la grande majorité des cas, le problème de l'enseignement supérieur ne se pose même pas. En effet, le taux de scolarité a toujours été très bas, même à l'école primaire du village. De plus, les résultats sont peu brillants, si l'on considère qu'à Épiskepsi l'école existe depuis 1827, c'est-à-dire bien avant l'union de l'Heptanèse avec la Grèce (1864) – en Grèce, l'enseignement primaire est rendu obligatoire dès 1834.

Même obligatoire, l'enseignement primaire reste une course d'obstacle pour les enfants du milieu rural. Le pourcentage de ceux qui s'arrêtent à la fin de la première année de scolarité semble un bon indicateur à cet égard, si on analyse les statistiques scolaires entre 1910 et 1976 pour l'école primaire d'Épiskepsi. Pour la période 1910-1930, par exemple, sur 1 500 élèves qui constituent la population scolaire, toutes classes et années réunies, environ 40 % n'ont jamais pu franchir le seuil de la première année. Ce taux n'est plus que de 15 à 20 % pour la période 1960-1976, car, entre autres raisons, les parents n'enlèvent plus de l'école les jeunes filles et, dans une moindre mesure, les garçons, au terme de la première année, comme c'était le cas dans les années vingt. Pour l'ensemble, la scolarité n'est plus synonyme du seul apprentissage obligé de la lecture et de l'écriture pendant une année – jugée suffisante – avant de passer immédiatement aux choses sérieuses, c'est-à-dire l'activité économique.

Qu'en est-il précisément de la place des femmes dans la société villageoise ?

Deux éléments caractérisent les relations entre parents à Épiskepsi : la résidence patrilocale et l'héritage inégal entre filles et fils. Ces éléments combinés contribuent à délimiter le statut spécifique des femmes : ce sont elles qui quittent la maison paternelle à leur mariage, et elles n'ont qu'un droit restreint au patrimoine familial. En fait, outre le trousseau qu'elles reçoivent de leur père au moment de leur mariage, elles ont droit à une petite partie de terre, en général le champ reçu en dot par leur mère, qui constitue la partie du patrimoine réservée aux filles. La majeure partie de la propriété foncière paternelle est réservée aux fils qui la divisent également entre eux, qu'il s'agisse de champs ou de bâtiments (étables, maison paternelle au village, baraques aux champs, etc.). Aussi la dot (*príka*, de *proíx*) que recevaient les filles constituait-elle, il y a peu encore, une part beaucoup plus petite que celle des garçons. Si le patrimoine familial était modeste, les filles recevaient comme dot 1/3 de la part des garçons, mais s'il était important, on ne leur donnait qu'1/10. Jusqu'à la génération née pendant l'entre-deux guerres, la norme, pour une propriété de

500 arbres divisée entre deux filles et deux garçons était de donner 50 oliviers à chacune des filles et 200 à chacun des fils. Aujourd'hui, le tiers des familles du village comptent diviser leur patrimoine à égalité entre leurs enfants, garçons ou filles, que ce soit sous forme de terre ou de dépenses pour les études.

Contrairement aux habitudes qui prévalent entre les lignages, c'est-à-dire l'absence d'entraide, les femmes échangent de petits services entre voisines : on se prête des ustensiles, des piments, et on apporte assez souvent un plat à sa voisine. C'est une forme d'échange social où, au lieu d'inviter quelqu'un à dîner − ce qui se fait uniquement pendant les fêtes et exclusivement entre parents − on fait partager de cette manière un dîner exceptionnel. Parfois, on demande à la voisine si elle aurait une portion de tomates ou de salade cuite − légumes cueillis aux champs à l'état sauvage ou au potager que possède chaque famille. Comme ces produits n'ont pas une valeur marchande pour les paysans, puisqu'ils ne les achètent jamais, ils sont échangés entre voisines sous forme de don et de contre-don. En revanche, les œufs, considérés plus comme un besoin que comme un régal (c'est la nourriture par excellence réservée aux enfants), sont échangés pour de l'argent. Seules des femmes apparentées se donneraient des œufs en cadeau, la mère à la fille, la belle-mère à la belle-fille, etc.

Les femmes qui habitent le même petit quartier sont généralement parentes par alliance puisqu'elles ont épousé des frères ou des cousins. La manière dont ces femmes échangent de menus services, des aliments, ou se prêtent des ustensiles de ménage, devient de plus en plus libre et informelle, à condition toutefois de rendre un service exactement équivalent le plus tôt possible − dès qu'il y a un lien de parenté ou d'alliance entre elles. Mais pour des raisons pratiques, on ne préfère pas les parents aux voisines si ces dernières sont plus accessibles. Il faut noter que la notion de voisinage dans un village si compact est très limitée. Bien qu'on se déplace tous les jours pour aller aux champs, ce qui implique parfois une à deux heures de marche, dés qu'on est à l'intérieur du village, les distances semblent d'un tout autre ordre. A cent pas de sa porte, on se trouve aux limites du voisinage et, par conséquent, on n'ira plus loin que pour rendre une visite, et non pas pour chercher un mortier ou un plat de légumes. Une fois au village, les femmes ne se déplacent pas hors de leur voisinage : ce sont les hommes qui achèteront le paquet de riz au café-épicerie pour le rapporter le soir en rentrant à la maison et, très souvent, ce sont les enfants de la maison ou du voisinage qui iront chercher quelque chose chez l'épicier. Vu sous ces aspects particuliers, le voisinage est un groupement aux limites très étroites.

Tableau IV : *Terminologie de la parenté en grec moderne**

F	patéras, kýris, babás		FFF, FMF, MFF, MMF	propáppos
M	mána, mitera		FFM, FMM, MFM, MMM	proyayá
B	adelfós		SSS, DSS, SDS, DDS	dissénghonos
Z	adelfí		SSD, DSD, SDD, DDD	dissenghoni
W	ghynéka		FBS, FZS, MBS, MZS	xádelfos
H	ándras		FBD, FZD, MBD, MZD	xadélfi
S	yòs		BS, ZS	anepsiòs
D	kóri		BD, ZD	anepsià
ZH	kouniádos		BSS, BDS, ZSS, ZDS	micranepsiòs
BW	kouniáda		BSD, BDD, ZSD, SDD	micranepsià
DH, ZH	ghambròs		MB, FB	thíos (*et, par extension : WMB,*
SW, BW	nífi			*WFB, HMB, HFB, FFB, FMB, MFB, MMB*).
WF, HF	petheròs		MZ, FZ	thía (*et, par extension : WMZ,*
WM, HM	petherà			*WFZ, HMZ, HFZ, FFZ, FMZ, MFZ, MMZ*).
FF, MF	pappoùs, páppous		WZH	sýghambros, batzanákis (m.s.)
FM, MM	yayá, kalì		HBW	synnifáda (w.s.)
SS, DS	engonòs		SWF, DWF	sympétheros
SD, DS	engoni		SWM, DHM	sympethéra

* On a adopté ici la notation anglo-saxonne des composantes des termes de parenté : F = father, M = mother, B = brother, Z = sister, etc.

CHAPITRE 4

Economie agricole :
oliviers, vignes et céréales

a. Le système foncier
et les modes de faire valoir

1. Avant les réformes agraires

Pendant la Protection britannique, le système foncier en vigueur était celui qui avait été instauré dès l'époque vénitienne [1], caractérisé par trois types majeurs de relations entre propriétaire et cultivateurs.

Le premier type, le plus répandu, était celui de la colonie perpétuelle, selon lequel le propriétaire cède un terrain au « *colonus paritarius* » contre une partie des produits. Ce contrat donnait également droit au colon à une partie de la propriété du terrain, fixée d'après le montant des redevances. Ainsi, le colon qui payait 1 / 4 de la récolte au propriétaire était aussi à moitié propriétaire du terrain. Ce droit de la copropriété ainsi que les devoirs envers le propriétaire étaient héritables et ransmissibles, c'est-à-dire qu'ils pouvaient faire l'objet d'une vente. Une série de lois tout au long de la période de la Protection a tenté de modifier ce système de faire-valoir. La loi de 1827 (acte nº 85 du 2ᵉ Parlement ionien)

---

1. Sur l'origine du système foncier qui caractérise les relations agricoles à Corfou, dès l'époque vénitienne, l'hypothèse la plus fréquente est que les Vénitiens ont adopté le droit féodal byzantin en vigueur à l'époque de la conquête (fin du XIVᵉ siècle). Cf. Romanos, 1959 ; Sideris, 1934 ; Typaldos, 1864 a, 1864 b et Pantazopoulos, 1969.

Episkepsi, d'après le recensement de 1781. Textes en grec et en vénitien, documents d'archives vénitiennes (originaux : British Museum).

Ex Breve

Anagrafi della Villa *Epifanizzi*

Famiglie	№ – 100
Putti sino li anni 16	" – 50
Uomini dalli 18 fino li 60	" – 100
Vecchi dalli 60: in sù	" – 7
Putte f	" – 60
Donne	" – 99
Sacerdoti Calogeri Laici, e Cantori Greci	" – 14
Cervie deo	" – 14
Artisti	" –
Marinari	" –
Organici	" –
Privilegiati	" –
Piante d'Olivari	" – 10044
Pille ò recipienti d'oglio per la Capacità di Zare	" – 100 ℔ 1000
Schiopi, Stromboni	" – 67
Pistole	" – 20
Spade Palosi e Pugnari	" –
Cavalli da Sella	" – 45
Animali da soma { 60 }	" – 15
Manzi d'aratro	" – 60
Bovini da Pascolo	" – 90
Pecorini	" – 140
Caprini	" – 550
Molini da Grano	" –
marine da Oglio	" – 10
Teleri da Tela	" – 8

...fatta l'anagra li 5 febre: 1781 f.h.
...ra è persona Chiamar i ministeriali
...nde abia a tornar a rinoverla

89

interdit les contrats à perpétuité, mais les propriétaires et les paysans ont instauré à la place des contrats à long terme (29 ans)[2].

Le Parlement vote en 1841 une nouvelle loi qui lève l'interdit sur les contrats à perpétuité, mais spécifie que le cultivateur n'est copropriétaire que si c'est explicitement établi dans le contrat. En outre, il ne peut plus transmettre ses droits à un tiers sans l'accord du propriétaire[3]. Dès lors, les contrats à perpétuité varient selon la date à laquelle ils ont été établis (avant 1827 et après 1841).

Le deuxième type de relations entre propriétaire et cultivateur est ce qu'on appelle l'*emphytéose*. Selon l'article 1651 du Code civil ionien, « l'emphytéose *(emphýteusis)* est un contrat selon lequel un champ est cédé au cultivateur à condition qu'il l'améliore et paye chaque année une rente préalablement fixée, appelée *canón,* soit en argent, soit en produit de la terre, en reconnaissance du droit originel de propriété du cédeur. » Le propriétaire peut également exiger l'annulation du contrat si le cultivateur est jugé responsable de la détérioration du champ ou s'il ne paye pas les rentes pendant 3 années consécutives[4].

Il existait pour finir un troisième type de relations entre propriétaire et cultivateur, fondées sur les « *timars* » ou *« baronnies »,* grandes propriétés cédées par l'État, à terme ou à perpétuité, à des individus ou familles, en payement de leur contribution militaire, et à condition de recevoir en échange des prestations prescrites dans l'« investiture ». Ces domaines sont inaliénables et leurs propriétaires doivent procéder à une *Anagraffì* (document cadastral détaillé) tous les 30 ans, un exemplaire devant être déposé à Corfou, au secrétariat du *Proveditor Generale* et l'autre à Venise, chez le *Magistrato dei Feudi.*

Les cultivateurs de ces grandes propriétés étaient obligés de les cultiver et de payer une rente annuelle correspondant en général

2. Cf. Damaskinos, 1864, 6. Le Code civil ionien, en vigueur depuis 1841, interdit tout contrat de fermage portant sur une période supérieure à 30 ans (article 1567).
3. Articles 1627 et 1634 du Code civil ionien.
4. Voir articles 1651, 1664 et 1679 du Code civil ionien ; les deux derniers articles concernant l'annulation du contrat ont été abolis en 1866 par la loi 150 du 22-1-1866 votée par le Parlement grec.

à $1/10^e$ du produit, ainsi qu'une redevance spéciale en nature appelée « *syngráteia* », « *caníski* » ou « *regálo* ». Les corvées *(Angaría)* ont été abolies par la Constitution de 1803 (art. 9) et, en 1804, le Sénat ionien a transformé en rente foncière les devoirs militaires des propriétaires envers l'État. Mais en 1825 le Parlement ionien a libéré les terres « timariotiques » et aboli cette rente foncière (Acte N° 36 du 2e Parlement). Enfin, en 1827, le Parlement, songeant aux cultivateurs, les autorisa à payer en argent la rente aux propriétaires et leur permit de s'en libérer en payant toute sa valeur. De plus, il fut défendu aux propriétaires de reprendre la terre des paysans sous prétexte de non-cultivation ou de non-paiement de la rente[5]. Ces mesures ont été abolies en 1830, mais rétablies en 1840[6]. Dans l'intervalle de ces dix années, les « timars », libérés par la loi de 1825, ne tombaient plus sous les dispositions de 1827 et les ex-timariotes, devenus propriétaires à plein droit, en profitèrent pour imposer des contrats peu favorables aux cultivateurs[7].

Qu'en est-il, par ailleurs du patrimoine foncier de l'Église ? cédées par l'État ou par des individus ces terres étaient cultivées par des paysans suivant le régime de la *colonia perpetua.* Depuis 1820, elles faisaient partie des revenus du gouvernement local, aussi responsable des salaires du clergé[8]. Les paysans cultivateurs de ces terrains purent, théoriquement, dès 1830, racheter leur part en payant sa valeur au gouvernement local, mais dans la pratique ceci ne fut jamais possible faute d'argent liquide. D'ailleurs la loi de 1857, qui rendait obligatoire le rachat, n'a jamais été appliquée[9].

Nous venons d'esquisser, dans leurs grands traits, l'ensemble des relations qui existaient entre cultivateurs et propriétaires à l'époque de la Protection britannique. Nous n'examinerons pas ici la nature de ce droit dit féodal, ni les relations entre les propriétaires et le fisc.

5. Acte n° 67 du 2e Parlement.
6. Acte n° 26 du 3e Parlement ; Acte n° 7 du 7e Parlement.
7. Pour libérer leur propriété timariotique, les timariotes avaient été obligés de céder une partie de leur terre au gouvernement au lieu du paiement. Ces terres devaient être vendues pour financer le plan de réforme agraire du gouvernement. Mais comme elles ne l'ont jamais été, elles sont restées propriété du gouvernement et elles étaient administrées par le « gouvernement local » *(Enhórios Kyvérnissis).* Cf. Polylas, 1864.
8. Acte n° 32 du 1er Parlement.
9. Acte n° 24 du 3e Parlement (1830), loi de 1857, votée par le Parlement ionien.

Les très nombreux documents notariaux se trouvant dans les archives de Corfou sont en effet organisés de telle manière qu'ils nécessiteraient une recherche trop importante au regard des quelques indications qu'ils pourraient fournir sur les rapports propriétaire-paysan effectivement établis par des contrats.

En ce qui concerne les relations propriétaire-cultivateur à Épiskepsi, les seuls documents qui ont une homogénéité et qui portent sur les mêmes terres, sont les contrats passés entre les deux églises du village et les cultivateurs de leurs oliveraies de 1829 à 1834. Ces documents sont tirés des AHC, où ils figurent sous la rubrique « Archives de la Religion »[10] et ils contiennent chaque fois :

a) la notice de l'Église qui invite les intéressés à se présenter aux enchères,

b) Une liste détaillée des terres à mettre en fermage, qui indique le lieu-dit, le nombre d'arbres et la qualité d'olives désignée par l'estimateur comme production probable de l'oliveraie. Le cultivateur, en signant le contrat, s'engage à donner aux gouverneurs de l'Église, lors de la récolte, la quantité qui lui revient même si la récolte effective est différente de la récolte estimée,

c) les offres présentées,

d) le contrat définit et

e) la garantie offerte par le cultivateur.

On peut prendre, à titre d'exemple, le cas des contrats passés par les deux églises du village, Saint-Basile et Notre-Dame-la-Conductrice, concernant leurs oliveraies pour trois récoltes successives : « On offre en *pacto* le fruit de la prochaine récolte qui se trouve encore sur les arbres »[11]. Les offres, ainsi que les contrats, peuvent porter sur l'ensemble des terres, ou seulement sur une partie. Si les terres sont soumises à d'autres droits, ceux-ci doivent être payés par les gouverneurs et non par le cultivateur. Le paysan qui offre la plus grande quantité d'huile aux enchères

10. A.H.C. (Archives Historiques de Corfou), « Archeion Thriskeias » (A.T.) n° 7/85 1829 ; 10/122 1833 ; 7/93 1830 ; 10/130 1932 et 14/130 1833.
11. Ce système est donc un fermage à court terme, suivant la loi de 1827. Pour le texte original, voir par exemple A.H.C., A.T. n° 14/130 1833. Ce texte est imprimé avec des espaces vides, pour compléter le nom de l'église, du village et des personnes intéressées. On peut donc conclure que ce contrat était utilisé pour mettre en fermage toutes les oliveraies qui appartenaient au gouvernement local.

obtient le fermage [12]. Il doit payer la rente aux gouverneurs en deux fois, en décembre et en février. Le *pacto* une fois signé, le champ est considéré comme « libre » en faveur du cultivateur. Pour signer ce contrat, le cultivateur doit également présenter un garant, solidaire du cultivateur devant les gouverneurs pour le payement de la rente. Ce texte imprimé est signé par le « Contrôleur (du gouvernement local) des rentes des Établissements ecclésiastiques ».

Dans notre cas, l'église Notre-Dame-la-Conductrice cède par contrat tous ses oliviers, en même temps que son pressoir à huile. Contre cette cession, le cultivateur exploitant le pressoir doit donner 93 % de la récolte estimée en 1829, ce taux pouvant descendre jusqu'à 70 % pour les années difficiles.

En ce qui concerne l'église de saint Basile, les termes de l'accord sont encore plus simples : ne sont mis en fermage que les oliveraies ou des pieds d'oliviers isolés. La part qui revient au propriétaire pour la même période oscille ici entre 40 et 60 % de la récolte estimée.

Dans les deux cas, les contrats portent sur des pieds d'oliviers seulement, le cultivateur n'ayant de droits que sur des arbres et non sur le sol.

2. Les réformes agraires

Au lendemain de l'union de l'Heptanèse avec la Grèce, en 1864, le problème à l'ordre du jour était l'uniformisation de la législation ionienne avec celle de l'État hellénique. La question agraire, brûlante pour les habitants des îles, était d'autant plus au centre du débat que le système électoral de la Grèce permettait aux « habitants de la campagne » de voter pour leurs représentants au Parlement hellénique, à la différence du système censitaire antérieur. Une série de lois, de 1866 à 1924, tentèrent de résoudre les problèmes depuis très longtemps déjà accumulés, qui opposaient les paysans aux propriétaires des terres.

---

12. On utilise ici — et tout au long de cette étude — le terme *fermage* en tant que terme générique pour indiquer toute forme de contrat entre propriétaire et cultivateur. Dans notre cas (oliveraies) les fermages sont conclus tous les deux ans.

En 1866 (20 janvier) le Parlement hellénique vote la loi 150 qui règle l'« Introduction en Heptanèse de la législation en vigueur au Royaume ». Sont ainsi suspendus les articles du Code civil ionien qui règlent l'estimation de la récolte des oliviers ainsi que le droit du propriétaire d'expulser le cultivateur de sa terre (article 2 de la loi 150).

Les deux lois de 1867 (244 et 245), extrêmement détaillées tant sur les domaines qu'elles régissent – l'ancien régime dit timariotique, par exemple – que sur les régimes de partage des bénéfices, apparaissent dans leurs grandes lignes comme une tentative pour introduire des rapports de production capitalistes. Les dispositions les plus importantes transforment la nature des rapports entre propriétaire et exploitant en substituant à la rente en produit la rente en argent, et en passant des contrats à perpétuité aux contrats à terme. Enfin, la loi introduit la notion du « mauvais cultivateur », passible des sanctions suivantes de la part du propriétaire : éviction de l'exploitation et annulation du contrat. Ces dispositions sont restées, tout compte fait, lettre morte. Il faut attendre 1912 pour que des réformes réelles entrent en vigueur, avec la loi du 14 février.

Cette loi abolit toutes les redevances à caractère perpétuel, mais prévoit enfin des moyens suffisants pour réaliser ces mesures. L'État indemnise les ex-propriétaires en leur versant, en totalité, la valeur estimée de leurs droits sur la terre. Les possesseurs des autres terres soumises à des contrats à perpétuité sont également indemnisés aux $3/5^e$ par l'État et aux $2/5^e$ restants par les paysans-cultivateurs, qui deviennent propriétaires de plein droit de leurs terres.

Mais les guerres de 1912-1913 et de 1914-1918 ont suspendu son application pendant plus de dix ans et cinq lois supplémentaires apportant des amendements ont suivi la loi originelle n° 4054 de 1912[13].

---

13. Ce sont les lois : 423/1914 , 1937/1918 ; 1748/1919 ; 2645/1921 et le décret du 11-7-1927. Enfin, de 1931 à 1937, des lois successives redéfinissent le montant des indemnisations en fonction de la valeur de la drachme d'après guerre : ce sont les lois 5190/1931 ; 5697/1932 ; 5788/1933 ; le décret du 28-10-1935 et la loi 1002/1937. Jusque dans les années 1950, trois lois sont promulguées afin d'en finir avec les contrats à long terme qui existaient encore à l'époque. Ce sont les lois 1597/1950 ; 2258/1952 et 2055/1952.

b. L'olivier :
une économie de monoculture

1. La culture de l'olivier à Corfou :
l'héritage vénitien

Ce qui fait la spécificité d'Épiskepsi par rapport au reste de l'île tient avant tout à l'activité économique. En effet, alors que l'économie de l'île est dominée par le tourisme − services, commerces et bâtiments − les Épiskepsiotes semblent avoir porté leur choix sur le maintien de l'économie traditionnelle, la production agricole, et en particulier l'oléiculture, au rôle prépondérant.

En fait, ce contraste qui semble résulter du choix d'une stratégie économique et même de ses conséquences socio-culturelles (maintien des traditions culturelles, à travers celui de la culture traditionnelle de l'olivier) se révèle vite un trompe-l'œil. En effet, une petite minorité d'habitants du village (15 à 20 personnes) se livrent à l'activité économique du tourisme et en tirent un profit sans commune mesure avec les revenus de la culture de l'olivier ou de l'agriculture céréalière. Ils semblent pourtant choisir l'activité du tourisme en complément de l'économie traditionnelle, laissant cette dernières à d'autres membres du lignage sans qu'il y ait rupture entre les deux registres.

Avant la domination vénitienne, et même pendant les deux premiers siècles de celle-ci, la culture la plus importante dans l'île était la vigne. En 1510 encore, l'île produisait 24 000 barils de vin et 4 000 barils d'huile d'olive par an seulement [14]. Mais au XVIᵉ siècle, la politique agricole de la Serenissima vise à imposer la monoculture de l'olivier à Corfou, comme elle l'a fait pour la vigne en Crête, le coton et la canne à sucre à Chypre. En 1565, un décret relance la plantation d'olivier, et en 1623 un autre décret du Sénat oblige tous ceux qui possèdent des champs d'oliviers à les cultiver dans un délai de deux ans. Il ordonne en outre à tous ceux qui possèdent des champs à céréales de planter huit pieds d'oliviers par « stáro » (1/2 ha environ), introduisant ainsi la double culture des

---

14. M. Sanuto, Diarii, Senato X, p. 68, cité par Andréadis, 1914, vol. II, 16. Voir aussi Davy, 1842, vol. I, 313-320 ; Sordinas, 1971, 1-2 ; Tsitsas, 1974, 76 et Vlassopoulo, 1977, 81.

céréales et de l'olivier : une prime de 12 sequins était offerte à chaque planteur de 100 pieds d'olivier.

Au XVIIIᵉ siècle, la production d'huile d'olive est déjà assez importante. Selon les recensements de 1759 et de 1781, on passe dans la seule région d'Oros de 38 000 arbres en 1759 à 113 000 en 1781. Plus précisément, on compte en 1759 80 pieds d'oliviers par famille − ou 13 par habitant − et un pressoir pour 800 arbres. En 1781, on dénombre déjà 200 arbres par famille, soit 44 par habitant, et un pressoir pour 1 500 arbres. Malheureusement, on ne peut pas suivre en même temps l'évolution des autres cultures, ces documents détaillés ne fournissant des renseignements que sur l'olivier, l'élevage et la population. Mais dans cette attitude des autorités consistant à ignorer les autres productions, on peut voir peut-être la preuve que l'olivier était la culture privilégiée et que la production d'huile d'olive était déjà la plus importante de l'île.

Ainsi, à Épiskepsi, faisant partie de la *Baronia Corner,* les seules cultures importantes au XVIIIᵉ siècle sont la vigne et l'olivier [15]. Cette propriété, outre les « *terreni incolti* », mentionnés sans autre précision dans la description de chaque parcelle, comprend 276 *misure* (33 ha) de vignobles et 1 860 pieds d'oliviers, soit 1/4 du nombre total d'arbres mentionnés en 1759 pour l'ensemble du terroir d'Épiskepsi. Si ces oliviers étaient plantés suivant le décret de 1623, ils recouvriraient une superficie de 116 hectares, soit 3 à 4 fois plus importante que celle du vignoble. Dans tous les cas, il est évident que le cadastre de 1744, document le plus ancien portant sur le village, confirme la thèse du remplacement systématique de la vigne par l'olivier dès le XVIIᵉ siècle.

Francesco Grimani, *Proveditor Generale da Mar,* écrivait dans son rapport au Sénat en 1760 que les oliviers étaient déjà la culture la plus importante de l'île à l'époque. Selon lui, 1/4 de ces arbres sont très anciens, 1/2 sont vieux de 150 années, c'est-à-dire depuis le « *Decreto col quale l'Eccellentissimo Senato ne commando l'universale moltiplicazione* » (1623) et l'autre 1/4 sont des arbres très jeunes. Ces oliviers sont plantés dans les vignobles et lorsque les arbres deviennent grands et productifs, au bout de 10 ou 20 ans, les vignes sont abandonnées et disparaissent toutes seules.

15. Topologgio, 1744, A.H.C., document non classé. Ce document est un inventaire de la propriété foncière appartenant à la baronnie Corner.

L'île comptait en 1760, 1 873 730 pieds d'oliviers et 877 pressoirs à huile (Grimani, 1861, 77).

La production moyenne d'huile d'olive – calculée sur la base de 10 ans – atteint 500 000 *zare* [16] tous les deux ans à Corfou et 60 000 à Paxo, ce qui correspond à 280 000 zare par an. En 1760, la consommation à Corfou, Paxo et Parga était de l'ordre de 40 000 zare, ce qui laisse 240 000 zare pour l'exportation à Venise (Grimani, 1861, 78). Si on compare ces chiffres avec les données de la période 1830-1863, pendant laquelle la production biennale moyenne de l'huile d'olive à Corfou était de l'ordre de 100 000 barils (ou 400 000 zare), il semblerait que la culture de l'olivier était déjà au milieu du XVIIIe siècle, la plus importante dans l'île et qu'elle n'a guère proliféré depuis cette date.

Selon les chiffres donnés par Grimani pour la région de Corfou, Parga et Paxo, la production moyenne annuelle correspondrait à 311 kg d'huile par famille de 4 personnes, la consommation réelle atteignant à peine 14 % de la production totale : 44 kg par famille et par an. Au XIXe siècle, la production oléicole annuelle de l'île de Corfou correspond, pour la période 1830-1863, à 173 kg par famille et pour l'ensemble des îles ioniennes à 188 kg ; une grande partie est consommée sur place (36 kg par famille de 4 personnes) [17].

Pour Vlassopoulo, haut fonctionnaire et auteur d'un remarquable rapport statistique en 1812, avant l'introduction massive de la culture de l'olivier aux XVIe et XVIIe siècles, Corfou produisait du vin et des céréales en grande quantité (1977, 82) [18]. Vlassopoulo estime que la consommation locale s'élèverait à 30 000 barils pour une population de 45 000 habitants en 1812 (sans compter les étrangers), mais il affirme que la production moyenne biennale pourrait atteintre les 180 000 barils, ce qui n'a

16. *Zara* : mesure de capacité correspondant à 1/4 de baril. Un baril (barrel en anglais) correspond à 16 imperial gallons, soit 66 kg d'huile d'olive, au XIXe siècle. Voir P.R.O. (Public Record Office), C.O. 136, 1934 (1830).
17. Cf. Grimani, 1861, 78 et P.R.O. ; C.O. 136, Blue Books of Statistics : données sur la production (au niveau de chaque île) et l'exportation (au niveau de l'ensemble de l'Heptanèse);
18. Hidromenos, qui écrit en 1895 l'ouvrage classique sur l'histoire de Corfou, mentionne les données de Grimani qui prouveraient, selon lui, la thèse de l'encouragement de la culture de l'olivier pendant le XVIIe siècle (1895, 94-95). Hidromenos cite Botta (1823) et Partsch (1887) comme sources, mais pas l'ouvrage publié de Grimani, d'où il tire probablement le chiffre de 70 000 barils (280 000 zare), correspondant à la production *biennale*.

jamais été le cas pour le XIXe siècle. Les recensements faits pendant la Protection britannique, paraissent assez contestables. Il serait à plus forte raison très risqué d'accepter tels quels les chiffres qui datent du XVIIIe siècle : la documentation est moins riche et les recensements ne semblent pas avoir été dressés avec le plus grand soin.

Au XIXe siècle, la culture de l'olivier constitue donc la richesse principale de l'île, les autres produits agricoles n'arrivant pas à satisfaire les besoins de la population : on importait des céréales, du bétail et des volaille d'Épire [19]. Les techniques culturales étaient rudimentaires, si l'on en croit les récits des voyageurs et les témoins de l'époque. En effet, à la suite des efforts des Vénitiens, l'olivier était planté partout dans l'île, même sur les montagnes, avec une telle densité que les arbres poussaient très haut − à force de rechercher le soleil et l'air − et les fruits ne pouvaient pas être récoltés en secouant ou en battant les oliviers ; il fallait attendre leur chute, souvent très tardive dans l'année, pour pouvoir commencer le processus de la transformation en huile [20], au moyen de la technologie rudimentaire de l'époque : pressoirs primitifs rendant l'extraction de l'huile d'olive lente et pénible.

Tout porte à croire, cependant, que la culture de l'olivier a prédominé depuis le XVIIIe siècle, peut-être même depuis la fin du XVIIe siècle, et que cette expansion a continué jusqu'au milieu du XXe siècle. Aujourd'hui (1971), l'olivier représente 55 % des surfaces cultivées de l'île, alors qu'en 1830-1844 il en représentait 66 %« S'il y avait presque 2 millions d'arbres en 1760, 2,6 millions en 1917, on compte aujourd'hui 3,4 millions d'oliviers et une production moyenne de 84 000 tonnes d'huile tous les deux ans [21]. A titre indicatif, on peut noter que le niveau de la production actuelle est 9 fois plus importante que celle qui est indiquée pour

19. Voir Théotoky, 1826, 12-15 et 25-35 ; Jervis-White, *op. cit.,* pp. 256-258 : Leake, 1835, vol. 3, 554-555.
20. Comme on le verra plus tard, l'olivier qui pousse à Corfou depuis déjà le XVIIIe siècle, produit un fruit tout petit qui ne se sépare pas facilement du pédoncule. Voir aussi la description de Grimani faite en 1760 sur la qualité des arbres à Corfou et sur le mode de culture pratiqué par les Corfiotes (*op. cit.,* pp. 77-80).
21. Chiffre moyen pour les années 1963-1974. Voir Service statistique national de la Grèce, Service d'agriculture, Département de Corfou : archives du service local.

les années 1760 et 11 fois plus importante que celle des années 1830-1839 [22].

Selon Jervis-White (*op. cit.*, p. 258-259), on ne pouvait extraire que 40-50 gallons par jour d'une huile qui, bien entendu, n'était pas de très bonne qualité. Théotoky écrivait en 1826 que :

> « *L'on a cru pendant un siècle que la source de la richesse insulaire soit l'olivier, et qu'il fallait en planter beaucoup. Voici pourquoi on en trouve des millions entassés les uns sur les autres : ce qui fait qu'ils produisent peu ; que le produit n'est pas meilleur, qu'ils sont, par là même, assujettis à des dévastations, et qu'ils donnent mauvais air, le procédé pour faire l'huile est mauvais. Les pressoirs sont très imparfaits. L'on laisse les olives à terre longtemps avant de les ramasser, on les pose ensuite dans des réservoirs où elles entrent en fermentation avant d'être versées dans le pressoir ; malgré tout cela l'on tire de l'huile très mangeable. Il faut donc croire, que si l'on savait faire, l'on aurait la meilleure huile du globe* » (*sic*) (*op. cit.*, pp. 14-15).

Davy renforce cet argument : il parte de la négligence des cultivateurs : les arbres ne sont pas taillés, ni engraissés, la terre autour n'est pas travaillée. L'huile est de piètre qualité parce qu'on ne prend pas soin de la propreté des fruits avant de les soumettre au pressoir, mais aussi parce qu'ils sont déjà pour une grande part en état de décomposition [23]. Il faut ajouter que la récolte des oliviers commence en novembre et se poursuit jusqu'au mois de mai [24], ce qui ne laisse pas beaucoup de temps aux paysans pour s'occuper des autres cultures. En effet, même le jardinage semble être une occupation rare [25].

Les voyageurs de l'époque parlent donc tous, de l'état lamentable de l'agriculture dans l'île, du niveau primitif de la technologie mais aussi de la paresse des paysans. C'est une manière certes trop facile de résoudre le problème de l'état médiocre de l'économie agricole dans une île, qui a toujours été relativement riche. Cette mauvaise réputation des Corfiotes les suit jusqu'aujourd'hui : aux yeux des autres grecs, ce sont des agriculteurs qui

---

22. Pour obtenir des ordres de grandeur comparables, les calculs sont faits à partir de moyennes établies sur des séries statisitques de 10 ans.
23. Davy, 1842, vol. II, 350-357. Voir aussi l'étude de l'archéologue Sordinas (1971) sur les pressoirs à huile de Corfou.
24. Voir Rangavis, 1953, 665 ; Vlassopoulo, 1977 ; 80-81 ; Vaudoncourt, 1816, 420.
25. Voir Lloyd, 1897, 498-500 et Théotoky, 1826, 15.

n'aiment pas travailler et qui se bornent à ramasser le produit qui tombe par terre, miraculeusement envoyé par la Providence.

On peut ajouter enfin les aphorismes de quelques autres occidentaux face à l'île exotique, au sol riche et aux habitants paresseux : Lloyd écrit que l'état de l'agriculture est le résultat naturel d'un climat idéal. Pour Jervis-White, les habitants de l'île sont caractérisés par une « indolence hibernienne » mais pour Davy, observateur scrupuleux, le calendrier religieux y est pour quelque chose, avec ses 60 jours de fête par an et ses 130 jours de carême [26].

2. L'agriculture à Corfou au XIXe siècle

Pendant la Protection britannique, l'économie de l'île demeura essentiellement agricole, la grande majorité de la population étant constituée de paysans : sur 49 745 habitants en 1826, seuls 13 734 habitent la ville et sur 14 200 chefs de ménage, 12 000 sont agriculteurs [27]. Mais la politique agricole du gouvernement de la Protection était presque inexistante : on n'a pas introduit de cultures nouvelles ni de technologie moderne. On n'a surtout pas touché au système foncier en vigueur à l'époque, jugé pourtant responsable de la situation lamentable de l'agriculture dans l'île [28].

On avait certes inauguré une ferme modèle au village de Castellanoi en 1844. Mais l'expérience, ayant coûté presque 8 000 livres au gouvernement, prit fin en 1850 après une décision du Parlement ionien. Il s'agissait plus d'une exposition que d'une véritable école agricole : les machines exposées dans cette ferme n'ont été introduites aux villages de Corfou qu'au XXe siècle (voir Drakatos-Papanicolas, 1851, 73 et Jervis-White, 1852, 260 qui écrit :

26. Lloyd, *op. cit.*, pp. 498-500 ; Jervis-White, *op. cit.*, pp. 255-256 et Davy, *op. cit.*, p. 325. Les fêtes orthodoxes observées par les habitants de l'île sont 49 selon Vlassopoulo, sans compter les dimanches (*op. cit.*, p. 56). Selon Lamarre-Picquot (1918, 79), « l'Église grecque admet plus de jours de fête qu'aucune autre religion chrétienne ».

27. Quadro della Popolazione e delle Matrimonii, Nascite e Morti dell' isola di Corfù dell anno 1826 : A.H.C., Ionion Kratos 76.

28. Les quelques réformes agraires votées par le Parlement ionien dans la période 1825-1857 peuvent difficilement témoigner d'une volonté de « modernisation », si souvent évoquée par les contemporains.

« This model farm became a place to visit for the city people, and was later dropped. »

L'évaluation des données statistiques de l'époque, appelle des remarques quand aux modalités de leur collecte et leur structuration en corpus officiel. Il s'agit, pour la plus grande partie, de renseignements annuels sur la population et l'agriculture, compilés au plan local et envoyés à Londres avec d'autres renseignements d'ordre économique, sous forme des *« Blue Books of Statistics »*. Au niveau local, les informations étaient recueillies par le biais de questionnaires envoyés aux *« vecchiardi »* de chaque commune, chaque formulaire étant accompagné d'instructions indiquant la manière de le compléter. Les questionnaires étaient rédigés en grec moderne, dans un langage simple, et les informations demandées étaient précises. En ce qui concerne l'agriculture, il fallait indiquer non seulement les quantités de produits récoltés, mais aussi l'étendue du terroir et la quantité de semences, ces chiffres étant demandés en mesures locales. Ces informations étaient regroupées ensuite région par région, puis île par île et c'est ce dernier regroupement qu'on retrouve dans les Blue Books.

Aux Archives Historiques de Corfou on peut trouver les feuilles de ces recensements par communes pour les années 1830-1844. Au niveau de l'île, les Blue Books of Statistics recouvrent les années 1829-1864, c'est-à-dire la totalité de la période du Protectorat britannique. Ces données statistiques comportent, néanmoins, de nombreuses erreurs, dues aux méthodes de collecte et à la multiplicité des instances d'évaluation. A titre d'exemple, observons le tableau d'équivalence des mesures britanniques et locales, source d'erreurs récurrentes dans les rapports statistiques annuels. On arrive ainsi en 1863 à une superficie de terres cultivées dans l'île quatre fois plus grande que la superficie totale de cette dernière !

On l'a vu, selon Davy

« l'état de l'agriculture dans les îles ioniennes est alors peu avancé ; elle n'est qu'un art grossier, qui relève d'une connaissance traditionnelle, d'une série de processus transmis de père en fils, complètement ignorants des méthodes de la science » (Davy, 1842, 313).

TABLEAU I

A. Mesures ioniennes et britanniques

a) *Superficies*

Pied vénitien de 12 oncie = 13 3/4 inches
Passo Veneto = 5 pieds vénitiens
Misura = 1/8 Moggio ou Bacile
          = 400 passi carrés
          = 3/10 acre anglais
Zappada (ou Tzapi) : pour vignes (« a computed day's work »)
3 zappada = 1 misura

b) *Capacités*

(i) CÉRÉALES
   moggio de 8 misure = 5 Winchester Bushels
(ii) HUILE ET VIN
   Ionian Barrel =   16 British Imperial Gallons
                 = 128 Dicotoli (ou Dicotili)
                 =   4 Jars (tzara ou xesta)
                 = 24 miltra
                 = 96 quartucci

B. Conversion des mesures ioniennes en poids et mesures actuels

a) *Superficies*

Moggio = 2,4 acres = 9 720 m^2
Misura = 3/10 acre = 1 215 m^2
Zappade = 1/3 misura = 405 m^2

b) *Capacités*

(i) CÉRÉALES
   Bushel = 8 Imperail Gallons
          = 1 Chilo Constantinople = 28 kg de blé ou de maïs
   Moggio = 140 kg (blé et maïs)
   Misura = 17,5 kg (blé et maïs)
   Quartarioli = 4,4 kg (blé et maïs)
(ii) HUILE ET VIN
   Ionian Barrel = 16 gallons = 72 litres
   Jar = 4 gallons = 18 litres
   huile : Jar = 16,5 kg, Barrel = 66 kg
   vin : Jar = 18,2 kg, Barrel = 72,8 kg

Source : P.R.O. C.O. 136, 1932 et 1934. (« as established by act of Parliament dated 24 May 1828 ».)

L'état de l'agriculture à Corfou au XIXe siècle est donc loin d'être l'image des jardins d'Alkinoos. La culture de l'olivier est une véritable monoculture : la manière dont il est planté, l'étendue du territoire qu'il occupe et surtout la façon dont il est exploité excluent le développement de toute autre culture. Théotoky en vient même à affirmer qu'à l'époque vénitienne il était défendu de cultiver le blé, parce que l'île devait acheter celui de la *Terra Ferma* (1826, 15). Au XIXe siècle, l'insuffisance des céréales dans l'île coûtait à l'État ionien une somme assez considérable.

L'ouvrage de Vlassopoulo, écrit entre 1808 et 1813, offre un aperçu de la situation de l'agriculture au début du XIXe siècle, des besoins de l'île en alimentation et en produits manufacturés, ainsi que de sa balance commerciale. Selon ses calculs, Corfou devait importer les 2/3 de sa consommation annuelle en céréales : 20 000 *Moggii* de blé et 30 000 *Moggii* de maïs. On importait aussi de la viande et des bêtes de labour : 12 000 moutons et 8 000 bœufs par an, en provenance des côtes de l'Épire. La ville de Corfou importait également du continent du bois de chauffage, du poisson salé et des étoffes de laine et de coton. Il fallait compenser l'achat de ces produits par les revenus de l'exportation : huile d'olive et sel des salines de l'île[29].

Corfou était une île agricole « spécialisée », qui dépendait absolument du commerce extérieur pour satisfaire les besoins élémentaires de la population en alimentation. Le tableau II tiré des informations statistiques annuelles des Blue Books, et des archives de la ville de Corfou pour les informations détaillées, montre bien cette situation. On peut y constater que la région d'Oros est plus « arriérée » que l'ensemble de l'île, les cultures céréalières occupant une place assez importante par rapport à l'olivier, ce qui fait que la région dépend moins du marché de

TABLEAU II. – *Répartition des cultures en superficie*
% des terres cultivées en 1830-1844

	Épiskepsi	Oros	Corfou île
Blé	9,7	5,2	3,0
Orge-maïs	19,1	11,0	8,5
Avoine	8,8	4,6	1,7
Oliviers	37,0	62,0	66,1
Vignobles	20,9	16,0	19,2
Lin et coton	0,8	0,4	0,6
Légumes secs	3,7	1,6	0,8

29. Vlassopoulo, *op. cit.*, pp. 77-90 et Théotoky, 1826, 15-36.

l'huile d'olive. Quant à la répartition des terres cultivées au village d'Épiskepsi, il est évident que la culture de l'olivier y occupe une place encore moins importante, au profit des cultures céréalières.

Le tableau III qui indique la production moyenne par an et par habitant pour la période 1830-1844 nous donne une image beaucoup plus précise : la région d'Oros, tout en étant une région agricole, ne semble pas du tout avoir une économie plus autarcique que celle de l'île dans son ensemble. Certes elle produit plus d'huile d'olive par habitant que l'ensemble de l'île, et nettement plus de céréales, mais ces dernières suffisent à peine à nourrir la population locale. La production de blé, d'orge et de maïs correspond à moins d'un kg par jour et par famille de 4 personnes.

De 1830 à 1844, les informations disponibles donnent un total de 3 000 bushels de blé et 7 000 bushels d'orge et de maïs par an pour 3 514 habitants en 1836. En calculant 28 kg de produit par bushel de 36.3 litres, on arrive à 81 kg par an et par personne, ou 0.9 kg par jour et par famille de 4 personnes.

Les chiffres sont à peu près les mêmes pour le village d'Épiskepsi : 0,7 kg par jour et par famille de 4 personnes. Quant à Corfou, c'est-à-dire l'ensemble de l'île, la production locale s'élevait seulement à 260 grammes de céréales par jour et par famille.

TABLEAU III. – *Production moyenne annuelle par habitant : 1830-1844.*

	Épiskepsi	Oros	Corfou île
Blé (Bushels)	0,87	0,85	0,19
Orge + maïs (Bushels)	1,52	2,00	0,55
Avoine (Bushels)	1,17	1,00	0,14
Légumes secs (Bushels	0,25	0,30	0,05
Lin et coton (lt)	0,69	0,85	0,51
Vin (Barrels)	1,17	1,11	0,99
Huile d'olive (Barrels)	0,97	0,94	0,63
Moutons et chèvres (N)	1,09	3,04	0,52
Chevaux et mulets (N)	0,13	0,17	0,05
Bœufs (N)	0,03	0,14	0,03

Source : P.R.O. C.O. 136 Blue Book of Statistics et A.H.C., Ionion Kratos 157, 158, 163, 303, 304, 447, 448, 449.
Note : en l'absence de recensements annuels de la population, les calculs de ce tableau sont faits sur la base du recensement de 1836, l'effectif étant à peu près constant entre 1830 et 1844.

La culture des céréales semble donc constituer une exploitation complémentaire à celle de l'olivier. Mais, là aussi, les moyens technologiques sont limités. Selon Théotoky « les terres sont cultivées à la charrue tirée par des bœufs et à bras » (1826, 16-17).

On comptait en effet, en 1830, 2 500 bœufs dans l'île pour 1 260 agriculteurs chefs de famille et pour 8 000 acres de terre labourable. Il est vrai que le rendement des céréales était très faible, comme nous l'indique le tableau suivant pour Épiskepsi, Oros et l'ensemble de l'île pendant la période 1830-1844.

TABLEAU IV. – *Rendement des céréales 1830-1844.*

	Épiskepsi	Oros	Corfou île
Blé	348 kg/ha ou 2,3 pour 1	425 kg/ha ou 2,9 pour 1	456 kg/ha ou 3,26 pour 1
Orge et maïs	317 kg/ha	442 kg/ha	505 kg/ha
Avoine	289 kg/ha ou 3,2 pour 1	373 kg/ha ou 3,6 pour 1	389 kg/ha ou 4,6 pour 1
Légumes secs	387 kg/ha	514 kg/ha	677 kg/ha

Note : On note ici le rendement en kilogrammes par hectare en calculant ainsi la poids du blé, de l'orge et du maïs : 75-80 kg/hl, celui de l'avoine : 45-55 kg/hl et des légumes : 57-80 kg/hl.

La vigne, enfin, occupe une place assez importante (20 % des terres cultivées dans l'île) sans pour autant suffire aux besoins locaux. Au début du siècle, Corfou importait 30 à 40 000 barils de vin par an (Vlassopoulo, *op. cit.,* p. 82).

L'élevage est limité aux chèvres et aux moutons, mais là aussi on importe pour satisfaire la demande locale. Vlassopoulo estime à 12 000 les têtes des moutons importées d'Épire chaque année. Tous les autres animaux sont importés également des côtes de la Turquie (Épire) : chevaux et mulets, ânes, bœufs et vaches. A en croire Vlassopoulo, « il est très rare qu'un tel animal soit né dans l'île » (*op. cit.,* p. 87).

Outre les cultures importantes mentionnées dans les statistiques, on produisait aussi des pommes-de-terre et du tabac en petites quantités. La sériculture ainsi que l'apiculture avaient tout juste fait leur apparition. On cultivait aussi des roses et du jasmin[30]. Il faut ajouter qu'herbes et légumes sauvages fournissaient une partie non négligeable de l'alimentation des paysans. Théotoky écrit que « l'île produit tous les légumes... mais les paysans préfèrent les herbes du champ qui sont salutaires et très agréables »[31].

c. Le cycle de production et l'économie oléicole à Épiskepsi

Malgré les affirmations des voyageurs du siècle dernier, et même des citadins d'aujourd'hui, il ne suffit pas d'attendre que les fruits tombent des arbres[32]. En réalité, les travaux que nécessite la culture de l'olivier à Corfou ne sont pas négligeables. Aujourd'hui, plus que jamais, le problème le plus important est celui de la disponibilité de la main-d'œuvre durant la récolte.

Le tableau V indique le cycle des travaux nécessités par la culture de l'olivier pendant deux ans. Il faut noter cependant que la production biennale de l'olivier n'est pas homogène, et que la quantité varie considérablement de récolte en récolte. A Épiskepsi en décembre 1968, la grêle a détruit la meilleure partie de la récolte et « brûlé » les arbres situés à l'est du village. Ces oliveraies ont donné des fruits l'année suivante et elles sont suivi dès lors un cycle biennal normal, c'est-à-dire qu'elles donnent l'année où le reste du terroir est sans récolte. Dans d'autres parties du terroir, on constate le même phénomène, dû aux mêmes causes.

Comme les propriétés sont extrêmement morcelées à Épiskepsi, et qu'un ménage a souvent plusieurs oliveraies situées dans des endroits différents, cette situation a bouleversé les habitudes du village. Les pressoirs travaillent tous les ans, bien que de façon moindre l'année de la récolte moins importante, et les

---

30. Théotoky, 1826, 15-17.
31. Théotoky, 1826, 15. La « consommation du peuple », écrit-il (p. 37-38), « consiste en peu de viande, poisson, olives, fromage, légumes, tourtes de maïs, citrouilles, giromont, fruits secs et frais. Presque tout est préparé avec de l'huile. »
32. Carlo Botta (1823) va même plus loin, en décrivant les paysans de Corfou : « I Corfiotti non prendensi altra cura dei loro ulivi fuori di quella di raccoglierne il frutto quando è maturo, sicome fanno le genti ancora selvagge dei loro semi e dei loro frutti », p. 58.

travaux d'entretien de l'oliveraie coïncident souvent avec la récolte pour une autre partie du terroir. C'est peut-être une raison de plus pour l'abandon des cultures complémentaires.

On examinera ici le cas de la plus grande propriété du village, celle de C. Dimitras, qui compte 3 000 oliviers (la moyenne à Épiskepsi est de 257 arbres par famille). Elle se trouve concentrée dans la partie du terroir qui a été touchée par la grêle, et donc l'année de récolte pour ces terres correspond à l'année sans récolte pour l'ensemble du village. Les propriétaires en tirent un avantage considérable puisque la disponibilité de la main-d'œuvre ne pose pas de problème. Dimitras emploie des travailleurs agricoles pour tous les travaux : pour piocher et fertiliser le sol, pour pulvériser les arbres et les mauvaises herves et pour la cueillette.

En revanche, pendant l'année sans récolte où une partie de sa propriété (environ 200 à 300 arbres) donne, il n'emploie de la main-d'œuvre que pendant la dernière phase de la récolte, la cueillette − assurée du reste en grande partie par sa mère et sa femme − et pendant le reste de l'année, il n'embauche que sporadiquement.

Le tableau situé en annexe indique en détail les travaux nécessaires et leur montant, en 1976-1977, pour l'exploitation de 1 750 oliviers appartenant à Dimitras [33]. Deux points importants sont à remarquer: premièrement, que le coût de la main-d'œuvre représente plus de 90 % de ces frais et deuxièmement, que la cueillette est l'activité la plus coûteuse : elle absorbe 83 % de la main-d'œuvre, soit 75 % du coût total de l'exploitation en 1976-1977. Cette main-d'œuvre vient des villages des plateaux voisins : Strinilla, Petaleia, Lafki et, plus rarement, du village même. Ce sont des hommes et des femmes qui font la route à pied − une à deux heures de marche − et ne sont qu'occasionnellement ramenés en voiture chez eux. Ils sont payés à la journée, sans être indemnisés quand la pluie les empêche de travailler. Les salaires varient selon la nature du travail, le sexe et la saison. Ajoutons enfin que le total des frais représente 48 % de la valeur du produit final, sans compter les salaires des trois membres de la famille Dimitras.

---

33. Le reste de la propriété, qui se trouvait en année de récolte pendant la saison 1976-1977, était mise en fermage.

Le travail le mieux payé est la pulvérisation des arbres, effectuée par une équipe de quatre hommes : l'un d'eux est le propriétaire d'un tracteur transformé en pulvérisateur motorisé, qui se fait payer 800 drachmes par jour. Les autres sont payés 400 drachmes par jour. C'est un travail épuisant, et surtout dangereux à cause du risque d'intoxication. Les travailleurs ne prennent presque pas de précautions, sinon en buvant 2 litres de lait avant de commencer le matin. Comme les arbres sont très hauts, de 10 à 20 mètres, il est impossible d'éviter les gouttelettes qui tombent en pluie tout autour. On pulvérise les arbres au printemps et en été, pour luter contre les parasites. Cela nécessite en générale 2 à 3 opérations successives : en mars, en juin et en août-septembre.

La pulvérisation des mauvaises herbes est également un travail d'hommes, payés cette fois-ci à la tâche : 7 drachmes par arbre, produit chimique non compris. Avec un pulvérisateur à fuel, comme celui qu'emploient les travailleurs chez Dimitras, cette opération est assurée par une équipe de deux hommes dont l'un transporte la machine sur son dos. On élimine les herbes deux fois par an, pendant l'année de la récolte : en octobre, avant de mettre les filets et après le nettoyage du sol, et en mars, pour détruire l'herbe du printemps.

De tous les travaux préparatoires à la récolte, le nettoyage du sol qui va recevoir le fruit est celui qui demande le travail le plus considérable. C'est un travail d'équipe mixte, qui consiste à aplanir la terre sous les arbres, à enlever les gros cailloux, les racines, les rejetons et les feuilles mortes. Les hommes travaillent à la houe et à la pioche pour déraciner les herbes et enlever les pierres. Les femmes les suivent, râtelant herbes et feuilles mortes, dont elles forment des tas. L'une d'entre elles rassemble ces tas à l'aide d'une fourche dans une clairière pour les faire brûler ou pourrir. Parfois, quand l'herbe est épaisse, on fait du feu avant de procéder au nettoyage.

L'équipe de travail est constituée de cinq hommes et cinq femmes pendant la majeure partie des travaux, quoique cela varie. Les femmes sont beaucoup moins payées que les hommes : 200 drachmes par jour contre 350 drachmes pour les hommes. Le travail commence à 8 h 30 le matin jusqu'à 18 h 30 le soir. Les femmes ne partent qu'à 19 heures, après avoir terminé le nettoyage de la terre piochée par les hommes [34].

On s'arrête deux fois pour manger : à 10 h du matin on prend du pain, des olives et du fromage (le repas est appelé *marénta*), et à deux heures de l'après-midi, on s'arrête pour le repas principal, qui consiste en un seul plat chaud préparé par la femme du propriétaire. Il y a aussi trois autres pauses de 10 minutes à 11 h 30, 15 h 30 et 17 h 30, que l'on appelle des pauses « pour fumer » *(sigàla)*.

On nettoie l'oliveraie de terrasse en terrasse, par petites équipes de deux ou trois. En nettoyant le sol, on élimine parfois en route d'autres arbustes qui gênent tel olivier : un poirier ou un figuier sauvages.

La cueillette, que l'on appelle *mázema* (littéralement : « ramassage »), commence en novembre-décembre et se poursuit jusqu'au mois de mai. Cela implique que l'on travaille sur le même emplacement à plusieurs reprises pendant la récolte. Ce travail est par excellence celui des femmes. Elles ramassent les olives une à une à la main et les mettent dans une petite corbeille individuelle, vidée ensuite dans un grand sac. Les femmes travaillent accroupies, les mains dans la terre, avançant presque à quatre pattes. L'essentiel est de faire vite, car les olives restées au sol trop longtemps pourrissent et l'huile extraite n'est pas de bonne quatité. Autrement dit, s'il fait un vent fort, une bonne partie des fruits, tombés au sol, risquent fort de se mettre à fermenter avant leur arrivée au pressoir. D'où l'importance des filets, innovation introduite à Épiskepsi après 1970. Ils servent à retenir les fruits un peu plus haut que la terre humide, pour ralentir la putréfaction, et ils facilitent le travail de la cueillette, car il suffit de les secouer pour ramasser les fruits en grandes quantités. Ils éliminent également la corvée de nettoyage du sol, jusqu'à un certain point seulement, car si les cailloux ne gênent plus la cueillette, la destruction totale des herbes sauvages, qui risquent de s'entremêler aux filets et de les rendre tout à fait immobiles, devient impérative. Ces filets sont

---

34. Comme c'est fin août-début septembre, les jours sont longs. On commence plus tard et on finit plus tôt pendant l'hiver.

vendus par la Banque agricole avec un crédit sur quatre ans [35]. En fait, la durée du crédit coïncide ou presque avec l'espérance de vie de ces filets : ils ne durent jamais plus de 4 récoltes, le plus souvent deux ou trois. Dès qu'ils sont troués, il faut les remplacer.

Le travail des hommes pendant la récolte consiste précisément à s'occuper des filets (les vider et les remettre en place) et à transporter les sacs d'olives remplis par les femmes. Ils ne participent à la cueillette proprement dite que lorsque cela devient impératif : après un vent fort ou un orage, il faut ramasser ou laisser périr, et dans ce cas les hommes travaillant seuls avec leurs épouses n'ont plus le choix. Il est certain que la division entre les sexes se modifie grandement dans le cas du couple travaillant seul. La coopération est directe et les tâches sont partagées, mais c'est l'homme qui montera aux arbres pour secouer les branches, s'il considère que les fruits sont « prêts » et la femme qui sera la « ramasseuse ».

Pour revenir au cas concret évoqué précédemment, Dimitras emploie 10 femmes et 3 hommes pendant la récolte. Les femmes travaillent pendant six mois, de la fin d'octobre jusqu'au mois de mai, mais les hommes ne travaillent pas continuellement.

En 1976-1977, les filets ne recouvraient qu'une petite partie de l'oliveraie de Dimitras, environ 400 arbres sur les 1 750 exploités par cette équipe. Ils représentent en effet un investissement assez important, pas nécessairement rentable lorsque la main-d'œuvre est disponible et bon marché. D'autre part, les filets ne sont pas faciles à manier : il ne suffit pas de les soulever pour ramasser les fruits, car, après un orage, ils sont pleins de feuilles déposées par le vent. L'herbe qui n'a pas été complètement détruite s'emmêle aux mailles, et les trous sont nombreux. Très souvent, les femmes travaillent à les réparer sur place, quand il n'y a pas trop de fruits, ou que le déplacement du filet pose problème [36].

---

35. La Banque agricole avance à tout exploitant qui veut acquérir ces filets une somme allant jusqu'à 20 000 drachmes, remboursable en quatre ans. Elle prétend ne faire payer aux paysans que 40 % de la valeur des filets, mais comme le somme avancée est en fait un prêt à moyen terme, avec un taux d'intérêt non négligeable, l'acheteur paie la totalité de la valeur des filets sur quatre ans. C'est néanmoins le seul moyen pour la plupart des exploitants à Corfou d'acquérir cet « outil » très important.

36. En revanche, en Crète, où les oliviers sont également hauts et où la cueillette se fait à partir du sol, on utilise les filets différemment : on les suspend en enveloppant l'arbre, ce qui, a Corfou, ne se pratique jamais. Ils sont partout étalés par terre.

La main-d'œuvre : C'est le problème le plus important dans l'organisation des travaux nécessaires à la culture de l'olivier. Une main-d'œuvre nombreuse et surtout disponible est absolument indispensable. Mais vu l'instabilité de la demande tout au long de l'année, cela pose des problèmes tant aux employeurs qu'aux ouvriers agricoles, surtout quand, comme à Corfou, les ouvriers sont eux-mêmes petits exploitants. Pendant les mois les plus chargés de la récolte, les ouvriers agricoles se font rares, et cette situation est particulièrement défavorable aux exploitants moyens, qui ont besoin d'une main-d'œuvre peu nombreuse et occasionnelle.

Dimitras a le double avantage d'avoir une propriété qui donne pendant l'année sans récolte pour la grande partie du terroir, et d'employer presque exclusivement des ouvriers habitant les villages des plateaux voisins, chez qui l'olivier n'est pas une monoculture. Ainsi, le calendrier de leurs propres travaux agricoles leur permet de s'occuper de leurs champs et, en même temps, de travailler aux oliveraies pendant les mois « morts » pour leurs propres cultures.

Les facteurs climatiques : La deuxième contrainte est liée aux conditions climatiques qui règnent pendant la durée de la récolte, c'est-à-dire du début du mois de novembre jusqu'à la fin du mois de mai. Bien que l'hiver soit assez doux à Corfou – la température moyenne la plus basse constatée pour le mois de janvier atteint à peine 10° – les pluies sont fréquentes pendant toute la période de la récolte. Pendant ces sept mois, la courbe pluviométrique oscille entre 230 et 40 mm (moyenne par mois)[37]. Il faut ajouter à cela que les rafales de vents, très fréquentes pendant cette même période, sont dangereuses pour les arbres chargés de fruits encore verts.

Cette situation rend le déroulement de la récolte assez pénible. Le souci constant des exploitants est de minimiser les conséquences des orages fréquents, surtout quand les fruits sont déjà par terre. L'essentiel est de faire vite, très vite, dès que le fruit tombe, d'où l'importance primordiale de la disponibilité de la

---

37. Bazil, *op. cit.,* diagr. 1-20.

main-d'œuvre. Deux orages consécutifs au mois de mars ou avril peuvent entraîner la perte d'une bonne partie de la récolte, en emportant les fruits vers la vallée, ou en les précipitant par terre trop tôt, avant qu'ils ne soient mûrs.

Le morcellement des parcelles rend cette tâche encore plus difficile, puisqu'il faut se déplacer très souvent, y compris au cours de la même journée, pour pouvoir ramasser à temps une quantité suffisante de fruits et les transporter ensuite au pressoir.

Ce n'était donc pas un hasard si une proportion minoritaire mais importante des ménages du village habitaient, il y a vingt ans, des cabanes dans les oliveraies. Actuellement, le transport pose beaucoup moins de problèmes : des routes, accessibles aux tracteurs, ont été ouvertes dans toute la vallée, et l'attente au pressoir en est considérablement réduite. Aujourd'hui, avec les machines électriques ou à fuel, on procède à deux broyages par heure contre un toutes les deux heures avec le pressoir traditionnel, l'*alestiki*[38].

Cycle irrégulier : La troisième contrainte est liée au cycle même de l'olivier. Comme on a pu le constater pour la période 1968-1977, le cycle de l'olivier, tout en étant biennal, n'est pas tout à fait régulier. Il y a de bonnes et de mauvaises années, et cette irrégularité rend la planification de chaque ménage assez aléatoire. Il est très difficile d'envisager, dans ces conditions, un investissement à moyen terme, surtout quand celui-ci entraîne un endettement à la Banque agricole. Ainsi, à Épiskepsi, on a tendance à investir avec précaution en ce qui concerne l'outillage agricole, mais en même temps on voit bien que les machines agricoles finissent par être beaucoup plus rentables que les moyens traditionnels, qui exigent une main-d'œuvre de plus en plus chère. Pour donner un exemple, la pulvérisation des arbres a coûté à Dimitras 800 drachmes par jour, salaire d'un homme avec un tracteur pour transporter l'eau et la pompe à fuel. Le même travail fait par deux chevaux lui aurait coûté 1 500 drachmes par jour. Il en va de même pour les routes qui mènent aux champs. Pour ouvrir une route au bulldozer, il faut certes investir, mais la dépense ne dépasse pas le coût du transport à cheval pendant deux récoltes. Si le crédit est possible, l'achat d'un tracteur est donc intéressant.

38. Sordinas, 1971, 31.

L'exploitation de l'olivier à Épiskepsi n'implique pas, on vient de le voir, l'usage d'outils sophistiqués. La liste ci-contre contient l'outillage nécessaire pour chaque cycle de travaux à l'oliveraie.

---

a. **Nettoyage du sol :**

houe − râteau − pioche − faucille − fourche − scie à main ou serpe − hâche.

b. **Cueillette :**
- un panier pour chaque femme (que les ouvrières agricoles apportent elles-mêmes) ;
- un tamis en fer pour séparer les olives des feuilles mortes (outil de luxe en disparition : les pressoirs sont maintenant équipés d'une machine spéciale pour ce travail) ;
- plusieurs sacs en lin ou en plastique pour transporter les olives au pressoir ;
- filets achetés dans le commerce : ils sont en plastique et s'achètent en rouleaux de 4 m × 100 m (on estime à 30 % la superficie du terroir recouverte de ces filets en 1977) ;

c. **Pulvérisation des oliviers et des mauvaises herbes :**
- le pulvérisateur à main est le plus courant. Quarante ménages au village ont substitué à celui-ci une machine à fuel ;
- pompe à eau pour les puits dans la vallée (50 pompes à Épiskepsi).

d. **Taille des oliviers :**
- scie à main − serpe − scie électrique (10 ménages en possèdent).

Les deux dernières activités nécessitent pour certains ménages l'engagement d'ouvriers agricoles ou la location de l'outillage. Ainsi, quatorze ménages au village font appel à une main-d'œuvre extérieure pour la pulvérisation, tandis que sept d'entre eux louent le pulvérisateur à fuel. Pour la taille des arbres on fait généralement appel à des spécialistes. A Épiskepsi, c'est une équipe de quatre hommes qui assure en général ce travail et elle est payée à la tâche. Les arbres sont taillés normalement au printemps de l'année de la récolte. Aujourd'hui, cela rsique d'abîmer les filets, alors on le fait pendant l'année sans récolte, au mois de mars, avant que les arbres soient en fleurs. D'après les paysans, on taille un olivier tous les dix ans, en enlevant les branches mortes ou gênantes. Les agronomes de la Banque agricole préconisent, en revanche, une taille plus fréquente, effectuée d'une manière qui permette à chaque arbre de se développer normalement, mais cela implique une taille beaucoup plus radicale que les exploitants ne sont pas prêts à opérer.

Toutes ces décisions sont prises au niveau de chaque ménage en fonction de la disponibilité de la main-d'œuvre interne et ne sont pas véritablement liées à l'importance de la propriété en question. Il en va de même pour l'emploi des ouvriers agricoles pendant la récolte.

Le transport, enfin, est un des problèmes essentiels, surtout en période de récolte. Tous les moyens coexistent : animaux, tracteurs, camionnettes et même voitures de tourisme, quand on fait appel, pendant les week-ends, aux enfants installés en ville. Plusieurs ménages ont deux moyens de transport, le plus souvent un cheval ou un âne et un tracteur, surtout quand ils travaillent à plusieurs équipes dans différentes parcelles. Cent quinze ménages possèdent des animaux de transport (ânes, mulets, chevaux : les *fortíkia*), quarante ont un tracteur et dix-sept une camionnette. Dix-neuf ont plusieurs moyens de transport et vingt-trois aucun. Ces derniers sont essentiellement des ménages de retraités, qui ne possèdent qu'un petit bout de terre et font appel à leurs enfants pour le transport. Les autres ménages qui sont dépourvus de transport, font également appel à des proches parents.

L'introduction de la technologie moderne dans la culture de l'olivier implique une stratégie d'investissement. Cette décision est toujours fonction de la disponibilité de la main-d'œuvre à l'intérieur de l'unité domestique et ce dans le cadre général d'une stratégie à long terme (éducation des enfants, possibilité de crédit, achat d'une parcelle, etc.).

La différence de rendement due à l'outillage moderne est très difficile à apprécier. Les agriculteurs eux-mêmes sont sceptiques quant à l'efficacité de tous ces appareils présentés comme « économiques ». En effet, en l'absence de données détaillées qui porteraient sur la situation avant et après l'introduction d'une machine moderne, le choix devient souvent aléatoire. La culture de l'olivier dépend, on l'a vu, d'une multitude de facteurs — conditions climatiques, main-d'œuvre, temps écoulé entre la cueillette et le broyage — pour ne mentionner que quelques variables. Ainsi, les agronomes qui prêchent pour l'adoption d'une technologie moderne ont encore à faire un travail de micro-économie très méticuleux avant d'avancer des hypothèses convaincantes sur ce problème.

Pour ce qui est de l'introduction des tracteurs, des pulvérisateurs et des pompes, le problème de la rentabilité est plus facile à résoudre. Un tracteur de moins de 10 chevaux coûte en effet à peu près deux fois le prix d'un cheval, parfois moins. Une scie électrique équivaut à vingt journées payées à l'ouvrier agricole, propriétaire de cet outil qui rend ses services à la journée. Une pompe à fuel coûte l'équivalent de 500 kg d'huile d'olive et un pulvérisateur à fuel (qui remplacera le manuel) 260 kg d'huile d'olive ou cinq jours de travail pour une équipe de quatre hommes. Dans tous ces cas, le chef du ménage prend ses décisions en fonction de l'utilité de la machine au sein de son exploitation, de l'argent frais disponible ou de l'importance de son éventuel endettement par rapport à son budget annuel.

En arrière-plan de ces comportements économiques nous devons évoquer l'attitude des insulaires en général et des agricul-

TABLEAU V. − *Cycle des travaux dans l'oliveraie.*

Année sans récolte	Année de récolte
Octobre : fertilisation du sol labouré à la pioche ou traité à l'herbicide	herbicide − mise en place des filets − cueillette
Novembre −	cueillette
Décembre −	cueillette
Janvier −	cueillette
Février −	cueillette
Mars : fertilisation du sol (si elle n'a pas été faite (en octobre) sans piocher − herbicide − pulvérisation des arbres en fruit avec insecticide	cueillette
Avril −	cueillette
Mai −	cueillette
Juin : insecticide (arbres) nettoyage du sol	cueillette
Juillet : nettoyage du sol	−
Août : nettoyage du sol	−
Septembre : nettoyage du sol	−

teurs d'Episkepsi, à l'égard de l'innovation technologique dans le domaine agricole : c'est, incontestablement, pour ces derniers, une attitude d'ouverture au changement. Ainsi, alors que le village ne représente que 1,2 % de la population rurale de Corfou et seulement 0,9 % des terres cultivées dans l'île, l'outillage moderne dont il dispose est sur-représenté par rapport au reste de l'île avec 2,9 % des tracteurs, 2,1 % des pompes et 3,6 % des pulvérisateurs [39], peut-être parce que Episkepsi est un village à l'activité économique essentiellement agricole et à l'aisance relative. Certes, la population est vieille par rapport à l'ensemble de la population rurale de l'île, mais la densité par rapport à la terre cultivée est certainement plus faible [40].

Les pressoirs

L'innovation la plus importante, qui a effectivement bouleversé les rapports de production à l'intérieur de la société villageoise, fut l'introduction, en 1932, du premier pressoir à fuel. Avant cette date, on comptait au village environ 20 pressoirs, répartis entre les quartiers et répondant en grande partie aux besoins de chaque lignage. Deux types de pressoirs étaient en service : le plus ancien, le *monolíthi* (de *mónos* : seul et *líthos* : pierre), est une machine archaïque à une seule meule courante, tirée par un cheval. Selon Sordinas, ce type de machine a été abandonnée après la Seconde Guerre mondiale, mais il n'était pas très courant – un peu moins de 10 – à Episkepsi, dans l'entre-deux guerres. Les performances de cette machine sont assez pauvres : 5 à 6 heures par opération, ou 2 à 3 opérations par 24 heures [41].

Le deuxième type de pressoir, le plus courant depuis la fin du siècle dernier, est *l'alestikí,* pressoir à trois meules courantes, également tiré par un cheval, mais de performance supérieure : une opération toutes les deux heures, ou 6-7 opérations par 24 heures [42]. Cette machine n'était plus fabriquée localement par des artisans du village, comme c'était le cas du *monolíthi,* qui doit

---

39. Chiffres de 1970. Voir Bazil, *op. cit.,* tableau 4-10/7.
40. 121,5 habitants par km^2 de terre cultivée à Episkepsi contre 180,4 pour la population rurale de l'île et 254,4 pour l'île dans son ensemble (chiffres de 1971).
41. Sordinas, 1971, 31.
42. *Ibid.*

essentiellement sa longue survivance au coût élevé de l'*alestikí*. A Episkepsi, le monolithí était surtout une propriété du lignage que tous les membres se partageaient, tandis que l'alestikí était, lui, exploité par un grand propriétaire.

La machine à fuel a brusquement changé ces rapports. Elle a été introduite exactement pendant la période où les paysans, devenus petits propriétaires à la suite de la réforme agraire, ont pu désormais, organiser eux-mêmes l'exploitation des oliveraies.

On peut alors, durant ces années, parler de concurrence entre les pressoirs sous l'angle des performances. Avant, on n'avait pas souvent le choix ; il fallait apporter les olives au pressoir du maître qui rendait l'huile à l'exploitant après avoir retenu la rente. C'est en 1955 que Dimitras introduisit le premier « séparateur » ; auparavant, on séparait l'huile du marc (d'olives) à la main, ce qui donnait une huile plus mélangée.

Actuellement, Episkepsi possède trois pressoirs électriques : deux sont exploités par la coopérative et le troisième appartient à Dimitras. Le quatrième pressoir du village est au fuel. Toute la production d'huile d'olive du village est assurée sur place. La coopérative reçoit 65 % de la production, Dimitras 20 % et Manoussos, le propriétaire du quatrième pressoir, environ 15 % pendant l'année de récolte. La coopérative emploie 8 hommes du village (deux équipes de 8 heures chacune) qu'elle paie à la journée, alors qu'aux deux autres pressoirs, on est payé à la tâche, selon le nombre d'opérations effectuées chaque jour. Manoussos emploie 4 hommes et Dimitras 5 [43]. Pendant l'année de récolte de 1976, Dimitras a lui aussi employé deux équipes pendant les derniers mois, mais c'est exceptionnel. En règle générale, les pressoirs ne travaillent pas tous les jours sauf vers la fin de la récolte, dès le mois d'avril.

Chaque exploitant paie au propriétaire du pressoir le *xódi* (litt. dépense), soit 5 kg d'huile par opération, quelle que soit la quantité d'huile extraite. Celle-ci varie, selon la qualité des olives et la saison, entre 16 kg par opération au mois d'octobre et 80 kg à la fin de la saison, les paysans calculant toujours sur une base moyenne de 50 kg par opération. Les grignons d'olives qui restent

---

43. Selon lui, les hommes travaillent mieux et se fatiguent moins dans une équipe de 5 personnes. Les deux pressoirs privés offrent le même salaire aux ouvriers.

après le pressurage reviennent également au pressoir (en plus des 10 % d'huile extraite à chaque opération), qui les vend généralement aux industriels, fabricants d'huile ou de savon. Une partie de ces grignons est conservée comme bois de chauffage pour les besoins du pressoir. C'est là une pratique très ancienne, encore courante il y a peu, puisque ce type de combustible était, et reste toujours, le moins cher au village. Il dégage une odeur lourde et désagréable, et les yeux en souffrent au bout d'un certain temps.

Il est très difficile de « chiffrer » les revenus d'un pressoir au village, ne serait-ce que parce que les propriétaires eux-mêmes ne font pas leurs comptes très méticuleusement. A partir des données disponibles sur le pressoir de Dimitras, on peut tenter une estimation : pour 1 000 opérations (ce qui correspondrait à une activité « normale » pendant une année sans résolte) le propriétaire reçoit un paiement de nature, le *xódi*, de 50 000 kg d'huile, soit 250 000 drachmes. S'il vend les grignons, il recevra environ 50 000 drachmes de plus. Une fois prélevés les salaires des 5 ouvriers, qui s'élèveraient à 150 000 drachmes, les 150 000 drachmes restantes constitueraient à la fois le salaire du propriétaire, les frais d'entretien du pressoir et le profit de l'entreprise.

d. Les modes de partage du patrimoine et des exploitations

Les règles de partage actuellement en vigueur à Episkepsi sont le résultat de deux enjeux, la dot et l'héritage. Deux systèmes de dévolution de propriété coexistent et interviennent dans chaque cas d'héritage : celui qui s'inscrit dans le cadre lignager et celui que prescrit le Code civil grec.

Le premier préconise, on l'a vu, l'héritage inégal entre filles et fils. Selon ce modèle, les fils héritent à égalité de la propriété paternelle, tandis que la part des filles oscille entre le dixième et le tiers de celle des hommes. Elles peuvent entrer en possession de leurs droit soit au moment de leur mariage − sous forme de dot − soit au moment du partage du patrimoine familial. Ce système « autochtone » est aussi le modèle prévu par le Code civil ionien en vigueur entre 1846 et 1945, qui institutionnalise la référence patrilignagère, c'est-à-dire la priorité des hommes sur les femmes et la primauté totale de la ligne agnatique sur toutes les autres lignes de descendance. Selon ce système, les hommes héritent des biens « lignagers » (maisons, potagers, pressoirs, puits et citernes, oliveraies et champs), tandis que les femmes reçoivent exclusivement des champs de labour *(choráfia)*, de petites oliveraies ou des champs en friche *(lónghi)*.

Le deuxième système, celui du Code civil grec, en vigueur depuis 1945, prescrit le partage égal entre tous les enfants. Selon ce système, les femmes reçoivent au moment de leur mariage une dot modulée selon « la situation socio-économique du père et la situation sociale du futur époux ». Outre la dot, les filles ont droit à leur part d'héritage au moment du décès des parents, la part « manquante » étant rendue, le cas échéant, à celles-ci. Il faut relever cependant un effet secondaire lié à la situation d'hypergamie qui prévaut partout en Grèce depuis les années 1950, le marché matrimonial amenant généralement une femme à se marier de préférence au-dessus de sa condition. Dans ce cas, sa dot étant nécessairement plus importante pour répondre au nouveau statut social, la part de l'héritage qu'elle peut espérer lors d'une succession entre frères et sœurs est moindre. Tout se passe comme si la dot d'une jeune mariée en situation d'hypergamie la rendait débitrice au moment de la succession.

On l'a vu, à Épiskepsi, propriété *(ktímata / ktèmata)* et oliveraie *(eliés)* sont des mots synonymes. Dans le système d'économie traditionnelle, on estime la richesse de quelqu'un au nombre d'arbres qu'il possède. N'oublions pas que 85 % du terroir du village sont couverts d'oliviers et que cette culture est la seule destinée au commerce.

Actuellement, les 195 ménages du village sont propriétaires de 50 000 oliviers en âge productif, ce qui fait une moyenne de 257 oliviers par unité domestique. La moitié des familles du village possèdent entre 200 et 300 oliviers et un tiers en possèdent 200, preuve que la propriété est répartie de façon assez égalitaire à Episkepsi.

D'une façon générale, les règles en matière de partage semblent évoluer par rapport au sicèle dernier, suivant en cela l'évolution démographique, notamment l'augmentation de l'espérance de vie. En effet les parents, se trouvant dans l'obligation d'assurer leurs vieux jours après le départ de leurs enfants ont, de plus en plus, tendance à surseoir au moment du partage. S'ajoute à cela l'influence du nouveau système de crédit agricole, la banque modulant ses crédits en fonction du patrimoine présenté en garantie.

Pour estimer la valeur d'une oliveraie au moment du partage entre fères ou à l'occasion d'une vente, on fait appel à un expert « estimateur » *(ektimitís)* qui procède à une estimation du « *fónte* » des arbres qui constituent l'oliveraie, c'est-à-dire leur potentiel de production. Pour ce faire, il arpente le champ et note la quantité d'olives que chaque pied d'olivier pourraient donner à la récolte. Le rendement de chaque arbre dépend de son âge, de la manière dont il a été exploité jusqu'à présent et de la qualité de la terre. Les terres exposées au soleil sont considérées de bonne qualité, celles du fond des vallées étant moins rentables. Normalement, un olivier de 35 ans peut donner 5 *moutzouri* d'olives s'il a été bien soigné.

Lors du partage, toutes les parcelles qui constituent la propriété paternelle sont ainsi estimées puis divisées en parts égales. Pour ce qui est de la vente, une oliveraie, estimée selon le même procédé, valait en 1976-1977 500 drachmes (60 francs à peu près) par *moutzouri* d'olives. Ainsi, un olivier estimé à 3 *moutzouri* devait être vendu 1 500 drachmes, ce qui correspond à son rendement en cinq ans [44].

On estime les autres types de terre, de la manière suivante : les champs de blé ou les champs à défricher valent 600 à 700 drachmes (70 à 80 frances) par dixième d'hectare, selon la qualité de la terre et le lieu (sans tenir compte, pour les régions côtières de l'augmentation des prix qu'entraîne la possibilité d'exploitation touristique). Le prix est très bas à cause du rendement très limité de ces terres. Le blé (comme on l'a vu d'ailleurs pour le XIXᵉ siècle) a un rendement de 3 pour 1 : il faut 25 kg de semence pour un dixième d'hectare, qui donnera 75 kg à la récolte. Le rendement des

---

44. Un *moutzouri* d'olives donne en moyenne 4 kg d'huile à 50 drachmes le kilo à chaque récolte, c'est-à-dire tous les deux ans. Trois moutzouri donnent donc 12 kg × 50 dr. = 600 drachmes par récolte − ou 1 500 drachmes en deux récoltes et demie, soit en 5 ans.

plantes fourragères étant bien plus élevé, les terres côtières étaient, encore très récemment, uniquement utilisées pour ce type de culture.

Les vignes sont également peu rentables : dans le terroir du village, 1/10ᵉ d'hectare donne, une bonne année, 300 à 350 kg de vin. Actuellement, il n'y a presque plus de vignobles à Episkepsi ; on plante plutôt des vignes grimpante dans les oliveraies ou dans les potagers. Il n'existe donc pas de prix en cotation pour la vigne comme pour l'olivier.

Lors du partage, le reste de la propriété foncière est divisée en parties égales, comme les oliveraies. Chaque parcelle et chaque immeuble (maisons, étables, etc.) sont divisés en lots après avoir été évalués. On peut alors procéder à des échanges entre frères, si cela convient aux parties intéressées, pour éviter un morcellement excessif des champs ou des oliveraies. Dans le cas des maisons, on peut même racheter la part de l'autre en offrant de l'argent ou un champ. Si les parties tombent d'accord, le partage est conclu, sinon, on tire au sort.

Mais le morcellement ne peut pas être complètement évité puisque les terres ne sont pas, en général, de qualité égale : cette diversité dans la qualité est, dans une certaine mesure, désirée : elle permet d'exploiter d'autres cultures, complémentaires à celle de l'olivier.

Ainsi les champs près de la côte, par exemple, sont utiles dans la mesure où ils donnent du fourrage pour les animaux, qu'on achèterait autrement sur le marché. Plus importants encore, sur le plan pratique, sont les potagers près du village, dans la région que l'on appelle *sóhora,* c'est-à-dire à l'intérieur des limites de l'habitat

---

Partage du patrimoine en héritage et en dot :
parts masculines et féminines.

hommes	*femmes*
maisons et dépendances	champs
potagers	oliveraies
oliveraies	
champs	
puits et citernes	
pressoirs à huile	

villageois. Comme on l'a vu, ces jardins sont propriété lignagère, dans la mesure où ils sont associés en premier lieu à la maison paternelle et aux terres qui appartiennent au lignage agnatique.

Il est donc rare de rencontrer des propriétés constituées d'une seule parcelle. Le morcellement n'est pas seulement dû à une longue pratique de partage égal entre fils, ou aux modes de faire-valoir des terres appartenant à la Baronnie à l'époque vénitienne (lorsque les deux parties, propriétaire et exploitant, entraient en contact perpétuel). Il est aussi dû à la structure spécifique de l'économie villageoise, qui repose sur la monoculture de l'olivier et sur les cultures complémentaires, le plus ouvent destinées à la consommation locale, voire familiale. On s'accommode ainsi fort bien de la diversité et de la complémentarité des types de production, induites par le partage.

Le cas de succession sans descendants mâles

Une entorse importante est faite à la règle générale de l'héritage et de la résidence dans le cas des familles sans descendants mâles. Si une famille n'a pas de fils, la propriété est héritée par les filles à égalité, comme cela se passe entre fils. On appelle ces filles des héritières (kleronóma) et leur dot (príka) correspond effectivement à leur part d'héritage, comme pour des hommes. Quand elles se marient, le patrimoine familial est divisé entre elles, y compris les biens fonciers lignagers habituellement transmis en ligne agnatique.

La dernière héritière à se marier ou l'héritière fille unique se marie toujours sous la coutume dite « avec sógambros − de éso (intérieur) et gambròs (gendre) − , qui veut que le gendre vienne vivre au domicile de son épouse, avec les parents de celle-ci. Une telle situation est favorable à un mari qui n'est pas fils unique. En effet, le sógambros apporte toujours sa « dot », comme aiment dire les paysans, au moment du mariage. Son mariage provoque donc le partage entre les fils du patrimoine de sa famille d'origine. De plus, bénéficiant du domicile de sa femme, le sógambros peut exiger, après les partage de chaque type de propriété, un échange avec l'un de ses frères ou une compensation en argent contre sa part de la maison paternelle, ce qui lui vaut d'être à la tête de plus de terre.

L'arrangement « avec *sógambros* » n'est pas mal vu à Episkepsi comme ailleurs en Grèce. La soumission du gendre à la volonté de son beau-père n'est souvent que formelle et ne dure surtout pas très longtemps. Dans la mesure où il apporte de la terre de sa famille d'origine, de la terre lignagère, il garde son propre statut social et ne devient jamais l'« adopté » de sa belle-famille.

En revanche, un étranger qui vient d'un village lointain pour se marier « en gendre » avec une héritière du village, a un statut de dépendance vis-à-vis de sa belle-famille. Cette situation change quand le couple a des enfants mâles, créant ainsi une nouvelle lignée qui s'insère dans le système villageois par des échanges matrimoniaux.

CHAPITRE 5

La communauté villageoise et la vie nationale :
le changement social

Pour finir, on peut illustrer cet ensemble d'interactions complexes par une pratique sociale observable dans toute la Grèce et dans toute une partie de l'aire méditerranéenne (Pitt-Rivers, 1954, Peristiany, 1965, 1968). C'est le phénomène qu'on a décrit sous le terme générique du clientélisme. Il déploie la plupart de ses manifestations à Corfou aussi. On trouve là, exprimé de manière synthétique, la façon dont le paysan envisage non seulement les stratégies qui manipulent les relations de dépendance au plan des rapports interpersonnels et communautaires, mais aussi ses rapports avec les représentants de l'État et les relations que la société villageoise entretient avec le système étatique.

La littérature anthropologique regroupe autour du concept de clientélisme et de patronage – pour prendre l'expression maintenant consacrée dans la production anglo-saxonne – un agencement remarquable de valeurs, d'attitudes, de comportements et de signifiants érigés en structures de dépendance. Ces structures semblent récurrentes, dans la forme et le contenu, à l'intérieur des systèmes culturels méditerranéens et, par extension, pourrait-on dire, dans l'aire latino-américaine [1].

Dans cette perspective, un constat s'impose d'emblée à l'observateur du domaine grec aujourd'hui : le clientélisme, même dans ses manifestations les plus extériorisées, ne semble pas relever d'une organisation hiérarchisée, structurée de manière stable.

---

1. Notons ici quelques exemples de cette production anglo-saxonne : Brandes, 1973 ; Franklin, 1971 ; Foster, 1961, 1962, 1963, 1968 ; Graziano, 1975 ; Hammel, 1968 ; Pitt-Rivers, 1954 ; Silverman, 1965 ; Shefter, 1977 ; Wolf, 1966 a, 1966 b, 1950.

Comment faire aboutir un ensemble de finalités qui relèvent de la vie de tous les jours, en utilisant les ressources qu'offrent les écarts entre la théorie du droit et la pratique dysfonctionnelle de la machine administrative ? Le clientélisme apparaît comme une démarche non seulement utilitariste, mais surtout gratifiante parce que synonyme de reconnaissance de la personnalité sociale pour celui qui y recourt.

Un des meilleurs observateurs de la Grèce, J.K. Campbell, qui étudia une population de pasteurs transhumants du nord-ouest de la Grèce dans les années 1950, affirme (assurément de manière quelque peu caricaturale) que : « Les paysans et les bergers ont une croyance très simple, à savoir que tout homme approché de manière adéquate et avec la somme appropriée, peut être acheté » (1964, 245). Selon cette analyse, loin de constituer un désordre, l'institution de clientélisme aurait pour conséquence d'apporter en quelque sorte des correctifs dans la distribution des privilèges ; elle permettrait en effet d'associer les effets du suffrage universel aux aspirations personnelles, sociales et politiques des individus qui se trouvent en compétition pour le pouvoir et le prestige. Pour Campbell, le clientélisme établit un rapport direct entre l'ordre social et le prestige personnel (*op. cit.*, 261).

Il est vrai que l'opinion commune en Grèce est généralement persuadée que cette relation manipulée, appelée *rousféti* (vocable d'origine arabe hérité de l'époque ottomane à partir de la forme turque *rüsvet*), est constitutive du clientélisme : *rousfétologhia* désigne donc par extension ces rapports de clientélisme. Un prêt à la banque, un permis de construire, même un poste de fonctionnaire public, sont obtenus beaucoup plus facilement par l'entremise d'un *mésson* (litt. « moyen » en grec, i.e. personne bien placée dans l'administration, et susceptible de faire avancer ou de favoriser un dossier)[2].

---

2. « Mot que tous prononcent en public avec aversion et difficulté, mais qui s'articule en privé avec une satisfaction non avouée... Qu'est-ce que le *rousféti* sinon une prestation de l'État destinée à un individu, arbitrairement choisi par l'organe responsable du pouvoir étatique, sans aucune procédure de sélection objective ? Un exemple quotidien et caractéristique : un ministre (donneur de rousféti) nomme un citoyen (preneur de rousféti) à un poste d'employé dans l'administration. Cet acte qui, à première vue, semble anodin ou apparaît comme une faveur tout à fait compréhensible, constitue le noyau de la *rousfétologhia*. » Cf. Ch. Rokofyllos, Anatomie de la Rousfétologhia, *Journal TO BIMA*, 13-10-74.

En d'autres termes, nul n'ignore que ce qui relève du droit des citoyens est présenté, dans ce contexte spécifique, par les agents du gouvernement et de l'administration, comme une faveur accordée à ceux qui se trouvent « du bon côté ». Tout le monde essaye de se prévaloir des bonnes grâces de son propre *mésson* pour une démarche administrative qui sort de l'ordinaire, donc des mécanismes non personnalisés (censés être *affectivement neutres,* pour parler le langage de Parsons).

A Corfou, les rapports d'interdépendance, la machine bureaucratique et gouvernementale sont beaucoup plus complexes que ce que laisserait croire le paradigme d'une structure pyramidale où le prestige et le pouvoir politique seraient les seuls enjeux des rapports de dépendance. Il faut se reporter avant tout à l'histoire récente de l'évolution économique et sociale de l'île, qui fournit les clefs pour une analyse des rapports entre la communauté villageoise et l'État.

L'histoire socio-économique de Corfou, l'émergeance d'une catégorie sociale nouvelle qu'on peut appeler les « serviteurs de l'État », les effets du rapport à la langue du pouvoir politique, de la diglossie en Grèce, sont les trois lieux de cristallisation des mécanismes du clientélisme.

L'arrière-plan socio-historique

Au moment de l'union avec la Grèce, Corfou est une île d'agriculteurs, de colons tributaires des grands propriétaires terriens. Ces colons, du fait de l'union avec la Grèce, accèdent au droit de vote du jour au lendemain. La bataille que mèneront les premiers députés « agricoles » *(agrotiki vouleftès)* pour la réforme agraire à Corfou et pour la libération des droits et redevances des paysans envers leurs seigneurs sera longue, et n'aboutira qu'au cours des années 1920, au terme d'une série de lois votées entre 1867 et 1921.

C'est à partir de cette époque que les paysans se trouvent pour la première fois interlocuteurs d'une administration gouvernementale, au titre de propriétaires-exploitants. Les décisions que doit prendre chaque famille, au niveau de son exploitation propre (prêts, vente du produit, achats et mise en fermage des terres) et de la stratégie familiale (héritage, choix du conjoint, études des enfants), s'inscrivent désormais dans une réalité sociale radicalement différente sur le plan démographique, économique et social.

Cette mutation trouve essentiellement ces raisons d'être dans les changements d'ordre démographique qui touchent la société rurale grecque dans son ensemble : la baisse rapide de la mortalité infantile au début du siècle entraîne une augmentation spectaculaire du taux de natalité. A la génération suivante, ce « surplus » de population provoque des mouvements migratoires vers les villes ou vers l'étranger. Ce phénomène est beaucoup plus marqué dans les régions à forte densité de population dans le pays, qui sont aussi les régions où la forme dominante d'exploitation est celle de la propriété (de 1 à 5 ha par famille). Les problèmes d'héritage et de disponibilité de la terre se posent dorénavant ensemble. A Corfou, un autre élément s'ajoute à cette situation : les terres appartenaient jusqu'alors aux grands propriétaires terriens, étaient cultivées par les familles des paysans selon la disponibilité de la main-d'œuvre et les besoins spécifiques à l'intérieur de chaque unité domestique. Avec la réforme agraire, la situation de ces terres s'est plus ou moins stabilisée : il ne s'agit plus maintenant de faire cultiver la terre contre une rente *(pacto),* mais de la rentabiliser au maximum, pour pouvoir garder ses nouveaux droits de propriété. Concrètement, pour accéder au droit de propriété, les ex-colons tributaires devaient rembourser les 2/3 de la valeur de leurs champs, le tiers restant étant remboursé par l'État.

Mutations économiques, démographiques, sociales, telles sont les caractéristiques de la société rurale corfiote pendant ce début du siècle et jusqu'à la veille de la dernière guerre. C'est aussi pendant cette période que la société villageoise s'ouvre, sur le plan de la vie sociale, de ses valeurs et de sa symbolique, vers le monde extérieur et en subit les influences.

Quel est à cette époque le nouveau profil sociologique de la société insulaire ? La classe des anciens propriétaires de Corfou constitue un avatar de la très petite noblesse byzantino-vénitienne *(nobilità),* complètement dépossédée de son poids politique durant la deuxième moitié du XIXe siècle, au moment de l'union avec la Grèce. Identifiée au pouvoir de la *Serenissima* (Venise), puis au pouvoir colonial britannique, cette aristocratie est vivement combattue par les paysans exploités qui se trouvent pour la première fois représentés au Parlement d'un pays qu'ils estiment être le leur et voient leurs droits défendus par leurs représentants élus. Dans ce contexte nouveau, cette *nobilità* n'a plus le privilège des relations sans médiation avec le pouvoir central. Son influence est contrebalancée par ces nouveau venus que sont les parlementaires « agricoles ». Face à ce nouveau rapport de forces en milieu rural, la noblesse adopte une position de retrait : jusqu'à la réforme agraire, elle vit dans un monde à part, tourné vers l'Italie, avec ses salons littéraires, sa vie sociale qui tourne autour des représentations d'opéras italiens, ses voyages en Italie et dans la capitale du nouvel État grec qu'elle trouve peuplée d'habitants rustres et incultes. Elle ne parviendra pas à se transformer en bourgeoisie, puisque les événements devanceront ses rendez-vous historiques : elle continuera donc à vivre une vie de rentier jusqu'au moment où la réforme agraire lui enlèvera définitivement les moyens de ses choix de société.

Entre-temps, les commerçants et artisans venant de la Grèce continentale affluent dans l'île, formant une nouvelle classe bourgeoise avec deux autres éléments indigènes. Des « renégats » de cette même noblesse entrent sur le marché du travail en tant que fonctionnaires publics : c'était une tradition dans la noblesse corfiote d'envoyer ses fils cadets dans les universités italiennes pour qu'il deviennent médecins ou avocats. Les fils d'agriculteurs moyens viennent également s'installer en ville comme petits entrepreneurs et commerçants ; leurs fils et filles remplacent petit à petit les fonctionnaires de l'administration et de l'Éducation nationale en poste à Corfou.

Dans ce contexte nouveau, on se trouve avec une situation où la hiérarchie sociale de jadis ne correspond plus à la réalité du pouvoir économique et social. Quelles sont les règles du jeu qui ont changé dans les rapports entre l'État et les différents corps de la société ? Depuis la réforme agraire, ce sont les décisions au niveau du gouvernement central, à Athènes, qui influencent directement la vie des paysans devenus petits propriétaires. Ceux-ci se trouvent dorénavant seuls interlocuteurs face aux différentes institutions : banques, experts agricoles, marchands d'huile d'olive. Les anciens maîtres de la campagne n'ont plus le pouvoir − économique ou politique − de faire pression sur l'administration : les rapports entre cette dernière et les instances locales sont sous le contrôle des fonctionnaires nommés sur place.

Les nouveaux serviteurs de l'Etat

Il s'ensuit une attitude nouvelle et inattendue envers ces fonctionnaires, tant de la part des paysans que de la noblesse appauvrie et marginalisée : les employés de l'État appartiennent à un groupe sans prestige social et forment une caste bien distincte des deux classes traditionnelles dans l'île, celle des nobles et celle des paysans. Ce sont des parvenus qui détiennent néanmoins le pouvoir sous forme de monopole des rapports de médiation entre la société et les institutions de l'État. Cette caste se construit petit à petit une conscience de groupe tout puissant, qui refuse de fonctionner tant qu'il n'est pas « respecté », et apparaît comme une catégorie de privilégiés, autant dire comme une bourgeoisie à part entière.

Quelles sont les nouvelles stratégies des deux classes traditionnelles face à ce changement institutionnel, politique et économique ? L'attitude de la noblesse se caractérise par un passéisme mêlé à un sentiment intérieur d'impuissance devant le nouvel ordre social. Pour sauvegarder leur statut social, mais aussi pour défendre leurs intérêts économiques au niveau des exploitations qui ont échappé à la réforme, ils essayent d'instaurer des rapports privilégiés avec les nouveaux représentants du pouvoir central, tout en les méprisant en tant que parvenus. Quelques-uns vont jusqu'à donner leurs filles comme épouses à ces nouveau « diplômés », proposant l'irrésistible : une femme cultivée, de famille noble et une dot qui faisait partie d'un grand domaine féodal.

Pour les paysans, la stratégie adoptée au niveau familial reste la même que par le passé, sans impliquer des concessions sur le plan idéologique et de la conscience de classe : colons tributaires d'un propriétaire foncier peu auparavant et, en même temps ,sujets depuis toujours d'un État, que ce soit Venise, la France, l'Empire britannique ou le Royaume de Grèce, ils cherchent à ménager les détenteurs du pouvoir. Pour eux, il est évident que les personnes qui se trouvent en haut de la hiérarchie sociale sont protégées par le pouvoir central, dans leurs relations avec ce dernier ou avec les autres « citoyens ». Au moment où ils accèdent à la propriété de leurs terres, la noblesse perd définitivement pour eux son statut de classe dominante et ils se tournent vers les nouveaux-venus, ceux dont ils dépendent dorénavant pour toute opération en dehors de la communauté villageoise. La stratégie au niveau de l'unité familiale consiste à rechercher toute forme de relation préférentielle avec des hommes situés en haut de la hiérarchie sociale, facilitant ainsi l'accès au pouvoir central.

Aujourd'hui, à Épiskepsi, les familles des petits propriétaires cultivateurs de l'olivier ne s'engagent pas dans des relations de clientélisme classique, telles que Campbell les a décrites dans sa monographie sur les *Sarakatsani,* pasteurs transhumants de la Grèce du nord-ouest, pour les années cinquante.

Épiskepsi n'est pas une communauté isolée en relation d'intégration difficile avec le reste de la société environnante. Elle n'a jamais été non plus une société marginalisée dont les mœurs, la vie économique et sociale seraient restées étrangères à la vie du reste du pays. La stratégie qu'adoptent les Épiskepsiotes dans leurs rapports avec les fonctionnaires du gouvernement ne consiste donc pas à rechercher un ou plusieurs « patrons » parmi les commerçants, les professionnels ou les employés. Leur but est plutôt d'entrer en relations privilégiées avec les fonctionnaires des différentes institutions de l'État pour surmonter, à travers cette relation personnelle, les difficultés qu'une bureaucratie au fonctionnement défectueux impose au citoyens.

Quels sont les caractéristiques de ce dysfonctionnement, perçu comme la cause principale du malaise qui imprègne toute relation entre la société et l'État, tant pour l'agriculteur qui habite le village que le citoyen urbain qui a du mal à se rendre dans n'importe quel service public ?

L'analyse des rapports entre les fonctionnaires de l'administration et les personnes qui s'adressent à elle pour des opérations quotidiennes et courantes dépasse le cadre de ces propos. On traitera ici d'un des aspects de ce rapport difficile, celui de la langue, qui s'articule directement avec les problème de l'instruction scolaire dans le pays.

La scolarisation constitue un des principaux moyens de mobilité sociale dans la Grèce moderne. Au XIXᵉ siècle déjà, l'école était considérée par les habitants de la campagne comme le moyen le plus honorable d'acquérir un statut social supérieur et une vie de citadin respecté.

C'est l'époque du début de l'exode rural, avec le développement de la capitale du nouvel État : Athènes devient le siège du gouvernement en 1834 et attire une multitude de commerçants, artisans et futurs employés de l'administration, des banques, de l'armée et de la police. Elle est aussi le centre le plus important de l'enseignement primaire et secondaire : sur les 63 000 habitants que compte la capitale en 1879, cinquante ans après la constitution de l'État, 62 % de la population masculine et 39 % de la population féminine savent lire et écrire, contre 31 et 7 % respectivement pour l'ensemble du pays [3].

En effet la scolarisation en Grèce, obligatoire depuis 1830, ne devient possible pour la masse des paysans qu'à partir de 1913, date à laquelle les écoles primaires se multiplient dans la campagne.

En 1961 encore, à peine 50 % des hommes et 31 % des femmes habitant les communautés rurales avaient terminé leurs études primaires. Dans les agglomérations urbaines, la scolarisation va beaucoup plus loin puisque les villes attirent les bacheliers en quête d'une carrière d'employé : 16 % des hommes et 13 % des femmes avaient terminé leurs études secondaires en 1961 contre 2 et 1 % pour les communautés rurales.

C'est cette perspective qui permet de mieux saisir les enjeux idéologiques et politiques, ainsi que les rapports de classe entre la nouvelle caste des fonctionnaires et les deux classes traditionnelles de l'île de Corfou. Les employés de l'État sont, dans leur grande majorité, des fils de paysans originaires de l'île ou de Grèce continentale, qui sont arrivés à ce poste grâce à une scolarité beaucoup plus longue que pour la moyenne des gens. Ces années d'études se soldent par l'accès à un poste de fonctionnaire dans l'administration publique. Pour compléter enfin l'image du fonctionnaire moyen, ajoutons un élément d'ordre socio-historique et linguistique.

3. Cf. Statstiques de la Grèce : Population 1879, Athènes 1881 (en grec). D'après ce même recensement, sur l'ensemble du pays, 54 % des hommes et 77 % des femmes âgés de 5 ans et plus sont analphabètes, alors que 55 % des garçons et 14 % des filles âgés de 5 à 10 ans sont inscrits à l'école primaire. Pour 1870, voici quelques chiffres comparatifs sur les analphabètes âgés de 5 ans et plus : France 28 %, Italie 62 %, Grèce 60 % (cf. Tsoucalas, 1975, 1977, 393).

Pouvoirs du langage, langage du pouvoir

Les employés en poste dans un établissement public dans les petites villes de campagne forment ainsi une élite privilégiée, dotée d'une éducation relativement homogène qui atténue les diversités liées aux classes d'origine : la scolarisation fonctionne ici comme un processus qui introduit le citoyen dans la culture officielle de l'État. Dans ce sens, la langue, l'histoire, les grands idéaux enseignés dans les lycées de manière homogène correspondent à un édifice idéologique nationaliste, panhelléniste [4], qui prédomine en Grèce depuis 1830. A l'intérieur de ce processus de scolarisation, l'enseignement de la langue occupe une place prioritaire et capitale.

La langue enseignée dans les écoles – primaires et secondaires – jusqu'en 1974 [5] est en effet une langue savante, langue officielle de l'État depuis 1830. Il s'agit, sur le plan formel, d'une langue artificielle, résultat d'un compromis entre la langue parlée et le grec ancien. Appelée *Katharévoussa* (litt. langue de puristes, langue-norme pure), c'est une langue écrite qui n'a jamais été parlée ni par le peuple, ni même par les classes « instruites » dans leur vie quotidienne, en dépit de leurs efforts en ce sens [6]. Elles ne contient – en théorie du moins – pas de mots d'origine étrangère et

---

4. Il n'est pas dans notre propos d'analyser ici le concept de panhellénisme, érigé en idéologie d'État depuis les premières années de la révolution contre les Turcs. Rappelons ici que ce qui a été appelé la Grande Idée *(Megàli Idéa)* sert précisément d'idéal nationaliste pendant tout un siècle (1830-1922) et qu'elle exprime l'idée de la recontitution de l'Empire byzantin à l'intérieur des frontières du monde héllénophone : « reconquérir Constantinople », tel était le mot d'ordre qu'on retrouvait non seulement dans les ballades populaires, mais aussi dans les journaux, les revues et la littérature de l'époque, pour ne pas parler des chants patriotiques de l'armée du nouvel État. Il serait peut-être utile de souligner à ce propos que les frontières de la Grèce actuelle sont très récentes : la Thessalie annexée en 1881 ; la Macédoine, l'Épire, la Thrace occidentale et la Crète, après les guerres balkaniques de 1912-1913 ; les îles du Dodéécanèse en 1947 et les îles ioniennes en 1864. La défaite militaire de 1922 en Asie mineure, dite Catastrophe de l'Asie Mineure *(Mikrasiatiki Katastrofì)*, qui se solde par un échange de populations, eut pour conséquence d'ajouter 1,5 million de réfgugiés à la Grèce, qui comptait à l'époque 5 millions d'habitants. C'est aussi la fin des illusions et de l'idée de « libérer » les Grecs qui habitent hors du territoire national.
5. Mise à part une courte période de réforme scolaire juste avant la prise de pouvoir par les colonels (1964-1967).
6. Le phénomène de la diglossie en Grèce n'est pas nouveau. Il existe depuis l'époque hellénistique et, tout au long de l'empire byzantin, la langue du peuple, dite langue commune *(koinè)* est déjà très éloignée de la langue officielle de l'État et de l'Église. Pour une analyse du phénomène de la diglossie et de l'émergence de la *Katharévoussa*, voir Tsoucalas, 1975, 1977, 534.

représente une forme simplifiée de grec ancien, ce qui lui confère le statut de vraie langue des citoyens de l'État de la Grèce moderne, descendants des ancêtres illustres de l'époque classique. C'est cette langue pure *(katharévoussa)* que tout citoyen honorable doit maîtriser, au lieu de la langue « du peuple » *(dimotiki),* utilisée dans la vie quotidienne pour exprimer des idées banales et vulgaires. La *katharévoussa* est l'instrument de la pensée, de la science et des idées nobles. Toute personne qui parvient à la manier est, par conséquent, quelqu'un qui appartient à la classe dominante de la société, qui a un statut supérieur à celui du simple travailleur, du paysan ou de la ménagère illéttrée. On peut illustrer ce rapport complexe à la langue par une anecdote impliquant l'ethnologue et l'informateur : durant le travail de terrain à Corfou, le président de la coopérative, un vieux paysan du terroir, s'efforçait de parler en *katharévoussa* à l'ethnologue « détenant le savoir » pour bien se distinguer des autres villageois, mais aussi pour indiquer que son statut social était assimilable à celui d'un enseignant, du fait de son éducation supérieure : il avait été au lycée pendant trois ans.

D'après les données du recensement de 1971, deux hommes sur trois, habitant dans des régions rurales en Grèce et âgés de plus de 44 ans, étaient des illettrés sociaux [7]. Si l'on considère que les 3/4 des exploitants agricoles dans le pays appartiennent aussi à cette tranche d'âge, toujours selon le même recensement, on peut mesurer l'ampleur du problème, ces barrières quasi-infranchissables qui séparent le paysan de l'administration dans la Grèce moderne.

La langue savante est-elle également inaccessible à tous ceux qui n'ont pas terminé leurs études secondaires, celles qui

---

7. Dans cette catégorie sont inclus ici les analphabètes et les personnes qui n'ont pas terminé leurs études primaires. Pour indiquer l'évolution de la scolarisation en Grèce au niveau du primaire, voici un tableau indicatif :

Écoles primaires : 1830-1950
% des élèves sur le total des enfants d'âge scolaire.

1830	8 %	1901	63 %
1855	29 %	1908	72 %
1860	30 %	1924	74 %
1866	33 %	1928	82 %
1878	40 %	1937	88 %
1895	53 %	1950	97 %

Source : D. Dendrinou-Andonakaki, Greek Education, New York, 1955.

ouvrent précisément la voie à un poste de fonctionnaire dans l'administration publique ? Comme on vient de le voir, seuls 2 % des hommes et 1 % des femmes habitant les régions rurales du pays sont aujourd'hui capables de lire et de comprendre cette langue officielle. Il n'est donc pas étonnant que ce monopole de l'accès à la connaissance, apanage d'une minorité de la population, semble également lié à une monopolisation du pouvoir politique : l'accès à la langue officielle et, par conséquent, à la culture et à l'idéologie officielle est réservé à une catégorie restreinte. Le fait de pénétrer dans ce domaine par le biais de l'éducation donne, aux personnes « éduquées » un pouvoir non seulement politique, mais aussi un statut social précis, c'est-a-dire le sentiment de l'appartenance à une élite sociale.

La grande révolution qui s'est opérée au sein de la société corfiote pendant la première moitié de ce siècle consiste justement en l'émergence de cette nouvelle classe de fonctionnaires qui, du fait de leur éducation secondaire, ont eu accès aux postes de l'administration jadis réservés à l'aristicratie locale et à ses protégés. Ces fils de paysans devenus fonctionnaires et, par conséquent, hommes du pouvoir, revendiquent leur place dans la haute société urbaine et en même temps terrorisent les paysans en leur rendant la vie impossible chaque fois qu'ils font la queue derrière leurs guichets. Les formulaires rédigés danss une langue archaïque, les sigles et le jargon administratif se dressent devant tout demandeur de prêt à la Banque agricole, devant l'exploitant désirant ouvrir un compte en banque, face au père qui veut inscrire ses enfants à l'école, ou au paysan qui envoie un colis à ses parents à Athènes ou à l'étranger. Systématiquement, l'employé qui veut bien expliquer les sigles, les codes et le langage officiel au citoyen considère cela comme un service exceptionnel, une faveur personnelle et le paysan quasi-illettré se sent obligé de lui rendre service l'occasion venue.

Ainsi, l'administration continue à essayer de fonctionner en dépit des effets sociaux persistants de la diglossie dans les campagnes et les employés — fiers de leurs études et conscients de détenir grâce à elles un monopole de la connaissance — font de leur mieux pour bien se démarquer du peuple, tout en s'étonnant que le vieux paysan soit incapable de comprendre les mots archaïques qui figurent dans les formulaires sous prétexte que les mots courants pour le même objet sont « vulgaires » ou d'origine « étrangère ». Il n'est donc pas surprenant que toute opération « normale » prenne les dimensions d'une opération politique et que tout service normalement dû au citoyen apparaisse comme une faveur de la part du fonctionnaire. La méfiance du paysan envers les institutions publiques et, par la même occasion, envers les agents du gouvernement s'explique aussi par cette situation incongrue en matière de communication linguistique.

C'est dans ce sens qu'il faudrait peut-être repenser le devenir des relations de clientélisme, leur origine ne se situant pas exclusivement dans le domaine de l'échange de prestations et de services. Ces relations relèvent aussi d'une inégalité des citoyens devant le connaissance et la culture officielle : à la base de la différenciation sociale, liée à l'héritage et à l'histoire de l'île, on ne trouve pas que les inégalités *stricto sensu*. Les aspects socio-linguistiques servent souvent, le cas échéant, à établir de nouvelles barrières sociales entre agriculteurs et nouveaux notables urbains. En définitive, c'est peut-être cet aspect linguistique même, permettant de partager le culte bien méditerranéen du verbe, qui prolonge la pertinence sociale du phénomène du clientélisme, même si les enjeux changent.

Conclusion

Pour conclure et faire un sort aux errements si fréquents quand on regarde la Grèce, il faut rappeler ici un trait qui a marqué toutes les étapes de la démarche qu'on a suivi dans ce livre, depuis la multitude des raisons qui motivent le choix d'un terrain jusqu'à l'analyse sur un plan plus large que le cadre Épiskepsiote, des rapports entre la société villageoise, l'administration et les pouvoirs publics de l'État grec moderne.

Épiskepsi est un village *ordinaire*. Ni survivance d'un ordre oublié, ni archaïsme, ni exotisme d'une marginalité culturelle, écologique ou religieuse. Les gens d'ici ne sont pas des nomades dont les origines se perdent dans « la nuit de temps » ; des insulaires vivant au rythme de la mer et de l'aventure de la marine marchande grecque, ni même des « farouches montagnards », héros de toutes les résistances à l'occupant. Bref, les villageois d'Épiskepsi n'ont pas peuplé les imageries d'épinal de la mémoire collective grecque ou les phantasmagories en mal d'exotisme d'un Edmond About dans « La Grèce contemporaine » par exemple, pour ne citer que ce cas du regard occidental vers une grèce toujours réinventée.

En revanche, ce village « ordinaire » permet d'atteindre la diachronie, la longue durée. C'est alors qu'apparaît à travers la vie à Épiskepsi une Grèce toute en contrastes, dans sa pluridimensionnalité historique et géographique. C'est, on l'a vu, la Grèce insulaire et la Grèce continentale d'une part et, d'autre part, les deux traditions, ottomane et vénitienne, qui structurent le champ. Puis, c'est l'église orthodoxe qui imprègne jusqu'au moindre recoin de la vie sociale.

Chercher des continuités dans la Grèce d'aujourd'hui, à partir des Sarakatsans ou des reconstructions de la *« Laographia »* ne permet pas toujours de saisir, justement, ces continuités. La Grèce vénitienne existe mais elle n'est pas folklorique. C'est à travers l'étude de l'ordinaire d'un village ancré dans l'histoire, des transmissions des modes de savoir, de se conduire, de s'adapter à des enjeux nouveaux qu'il semble possible de comprendre le processus : un rapport qui va des individus aux communautés familiales, lignagères, villageoises, aux systèmes administratifs, étatiques et nationaux.

Annexes : Peuplement et économie

1) Le XVIIIe siècle

TABLEAU I. – *L'évolution de la démographie entre les deux recensements : région d'Oros, 1759-1781.*

Villages	Hommes		Femmes		Total		Nombre de familles		Personnes par famille	
	1759	1781	1759	1781	1759	1781	1759	1781	1759	1781
Épiskepsi	238	173	202	165	440	338	86	100	5,1	3,4
Sgouràdes et Omalí	54	48	48	50	98	98	22	25	4,4	3,9
Períthia	388	359	365	351	753	710	131	133	5,6	5,3
Spartíla	232	220	203	162	435	382	59	75	7,4	5,1
Signés	392	297	361	397	753	694	107	143	7,0	4,8
Strinílla	232	204	202	155	434	359	59	70	7,3	5,1
Láfki	46	–	39	–	85	–	22	–	3,9	–
Total Oros	1 582	1 301	1 420	1 280	3 002	2 581	486	546	6,2	4,7

TABLEAU II. – *Moyens économiques par famille dans les deux recensements,*
1759 et 1781.

	Oros		Épiskepsi	
	1759	1781	1759	1781
Pieds d'oliviers, par famille	83	208	90	200
Capacité de stockage, par famille	7	9	10,5	10 (xestes)
Chevaux et animaux de transport, par famille	1	0,8	0,8	0,6
Bœufs de labour, par famille	1,4	0,5	0,6	0,6
Bovins, par famille	1	0,8	2,6	0,9
Moutons, par famille	17	16	5,8	2,4
Chèvres, par famille	12	14	14,1	5,3
Pressoirs à huile, 1 pour	10	7	7	10 familles
Métiers à tisser, 1 pour	29	9	–	– familles
Moulins à grains, 1 pour	–	280	–	– familles

TABLEAU III. – *Recensement de 1759* (reproduction dans l'ordre des rubriques du document original).

	Perithia	Spartilla	Signès	Lafki	Strinilla	Épiskepsi	Sgourades et Omali	Oros (total)
Familles	131	59	107	22	59	86	22	486
Garçons jusqu'à 16 ans	124	100	104	21	100	114	21	584
Hommes de 16 à 60 ans	240	116	245	25	116	118	27	887
Vieillards de plus de 60 ans	24	16	43	–	16	6	2	107
Filles	145	83	118	10	82	60	18	516
Femmes	220	120	243	29	120	142	30	904
Prêtres, moines, chantres	9	2	5	2	4	4	5	31
Soldats	24	12	24	10	12	20	7	109
Artisans	–	1	7	–	2	–	–	10
Tsiganes	13	–	–	–	–	–	–	13
Corvéables	197	101	208	13	98	90	15	722
Total des Grecs	753	434	753	85	434	440	98	2 998
Pieds d'oliviers	12 351	8 000	6 019	1 285	3 308	7 702	1 500	40 165
Récipients d'huile	64	25	22	?	15	61	?	187
Capacité en xestes	1 012	777	330	?	255	900	?	3 274
Carabines et trombones	50	40	60	9	30	60	8	257
Pistolets	15	20	20	4	10	50	2	121
Épées	11	13	55	1	?	12	4	96
Chevaux	103	11	65	12	30	42	10	273
Animaux de transport	44	40	28	8	44	26	12	202
Bœufs de labour	336	70	30	14	140	49	28	667
Bovins	100	–	128	4	40	220	20	512
Moutons	2 717	1 060	1 600	170	2 077	500	355	8 479
Chèvres	1 000	397	2 000	–	1 000	1 213	40	5 650
Pressoirs à huile	14	11	?	–	8	13	4	50 (*)
Métiers	7	3	2	–	1	–	4	17
Moulins à grains	?	?	–	–	–	–	–	–

(*) Il faut noter qu'on n'a pas d'informations sur Signès, qui possède 13 pressoirs en 1781 et qui compte, en 1759, 1/4 de la population totale de la région.

140

TABLEAU IV. – *Recensement de 1781* (reproduction dans l'ordre des rubriques du document original).

	Perithia	Spartilla	Signès	Strinilla	Épiskepsi	Sgourades et Omali	Oros (total)
Familles	133	75	143	70	100	25	546
Garçons jusqu'à 16 ans	130	70	119	80	50	24	473
Hommes de 16 à 60 ans	223	130	161	114	116	23	767
Vieillards de plus de 60 ans	6	20	17	10	7	1	61
Filles	167	75	212	72	100	21	647
Femmes	184	87	185	83	65	29	633
Prêtres, moines, chantres	18	12	16	12	14	6	78
Soldats	22	18	29	17	14	7	107
Artisans	4	3	10	–	–	–	20
Matelots	1	–	–	–	–	–	1
Corvéables	218	100	145	114	116	16	709
Privilégiés	1	–	10	2	–	–	13
Pieds d'oliviers	20 243	50 000	13 000	8 545	20 044	1 725	113 557
Récipients d'huile	129	100	95	50	100	10	484
Capacité en xestes	1 476	1 000	846	600	1 000	80	5 002
Carabines et trombones	116	40	65	64	67	15	367
Pistolets	65	10	33	43	20	6	117
Épées	116	10	50	28	–	–	204
Chevaux	147	39	26	39	45	8	304
Animaux de transport	70	11	25	17	15	4	142
Bœufs de labour	93	18	30	55	60	4	260
Bœufs de boucherie	127	40	100	84	90	–	441
Moutons	4 187	500	3 000	830	240	153	8 910
Chèvres	1 996	1 500	1 700	1 256	530	205	7 187
Moulins à grains	–	–	1	–	–	1	2
Pressoirs à huile	21	18	13	13	10	3	78
Métiers	20	9	12	13	–	8	62

Deux recensements, effectués respectivement en 1759 et en 1781, sont les seuls documents à porter sur l'ensemble de la population pour le XVIIIe siècle sur la région d'Oros. Ils donnent une image indicative de la population, des moyens de production et des cultures de la région. En 1759, la région d'Oros est divisée en 7 *ville* (communes) : Épiskepsi, Sgourádes et Omalí, Períthia, Spartíla, Signés, Strinílla et Láfki. En 1781, la commune de Láfki n'y figure plus, incorporée dans les *ville* Períthia et Strinílla.

Des écarts sensibles séparent les données de ces sources. Ces écarts sont dûs aux techniques de collecte de données pour une grande part.

2) Le XIXe siècle : le recensement de 1829 et les listes annuelles de production et de population

Le recensement de 1829 semble être le seul effectué à Corfou pendant la Protection britannique. De 1830 à 1864, on dressait par ailleurs des listes statistiques annuelles au niveau de chaque commune, où l'on indiquait des informations détaillées sur la production et le rendement des terres ainsi que sur le nombre des ménages et de la population totale. Seul le nom du chef de ménage apparaissait sur ces listes annuelles, avec le nombre des personnes composant ce dernier, sans aucune indication sur l'âge des membres ou sur leur parenté. Ces listes, imprimées, sont rédigées en grec et accompagnées d'instructions elles aussi en grec.

Le recensement de 1829 à Épiskepsi est composé de deux listes, manuscrites. La première, rédigée en vénitien, comprend 102 ménages. Elle a été dressée à partir de chaque maison du village − habitée ou non − et elle comporte le nom du chef du ménage − toujours un homme, même s'il n'est pas majeur − son âge, ainsi que les noms, âges et liens de parenté de tous les autres membres avec lui. Dans la plupart des cas, on ajoute une note sur l'étendue des champs exploités par chaque ménage et leur production de l'année précédente. La deuxième liste, rédigée en grec, comprend 62 familles seulement. Les données qui y figurent sont identiques, mais aucune allusion n'y est faite aux terres exploitées.

Une autre liste, également datée de 1829, pas entièrement manuscrite, mais au questionnaire imprimé, en langue grecque, indique en revanche l'étendue des champs de céréales et des vignes – mais pas le nombre d'oliviers, malheureusement – que possèdent 78 ménages (sur les 102 qui figurent dans le recensement détaillé), ainsi que leur production, celle de l'année précédente, probablement.

Dans ces listes, chaque ménage, composé dans la plupart des cas d'une famille élémentaire, possède ses propres terres et constitue donc une unité de production et de consommation. D'après la liste des 78 ménages de 1829, chacun possède en moyenne 0,4 ha de vignes et 0,25 ha de terres labourables (céréales et légumes secs) soit 0,65 ha au total, toujours sans compter les oliviers.

Épiskepsi comporte en tout 151 bâtiments recensés en 1829, dont 102 sont des maisons habitées et 41 d'autres bâtiments, décrits soit comme des maisons dont le propriétaire est absent, soit comme les bâtiments annexes d'une autre maison.

Sur les fiches numérotées figurent également 5 pressoirs et 3 églises. Au total, il y a 7 pressoirs au village (2 d'entre eux sont mentionnés sur la même fiche que la maison de leur propriétaire) et 5 églises, dont 2 au-delà des limites de l'habitat villageois. Ces dernières sont mentionnées sur une liste spéciale où ne figurent que les habitations qui se trouvent en dehors du village, intitulée (en vénitien) « Case fuori della villa », qui recense 22 bâtiments dont 19 maisons et 3 églises[1].

Cinq des chefs de ménage qui habitent les champs possèdent également une maison au village et 5 autres ont des proches parents à Épiskepsi : mère, frère, etc.

C'est là une organisation de l'habitat qui n'est pas propre au XIXe siècle ; aujourd'hui encore, quelques villageois habitent des maisons isolées dans les champs, ou près de la mer. Actuellement, deux raisons principales à cela : premièrement, la prépondérance de résidence néo-locale qui fait que chaque famille nucléaire a tendance à s'installer à son propre compte, en séparant la maison

---

1. 18 de ces 19 ménages font partie du recensement détaillé, ainsi qu'une des églises. Cette liste se trouve en double exemplaire, en grec et en vénitien, avec plus ou moins le même contenu. Elle comporte le nom du propriétaire de la maison et du lieu-dit où elle se trouve.

paternelle en plusieurs « appartements », en allant s'installer ailleurs, ou enfin en chassant, en quelque sorte, les vieux parents de la maison. Ainsi les trois habitations actuelles (1977) situées dans les champs sont occupées par deux couples de vieux parents et une femme seule ; ce sont des maisons rudimentaires, situées parmi les oliviers. Deuxième raison, le choix d'une solution pratique : on habite près des champs parce qu'ils se trouvent loin du village. Cela concerne aujourd'hui 8 familles qui ont une maison au village, mais habitent en permanence des maisons situées sur la côte, près de leurs terres. Il est vraisemblable que ce sont les mêmes raisons qui ont amené ces 19 ménages de 1829 à habiter loin de l'habitat villageois [2].

TABLEAU V. – *Épiskepsi 1829 : habitants par unité domestique*

Type de ménage	Nombre des ménages	%	Nombre des habitants	%
Famille élémentaire (***)	73	71	250	63
Famille complexe (*)	16	16	72	18
Famille multiple (**)	6	6	42	10
Autres	7	7	35	9
Total	102	100	399	100

La typologie employée se réfère à celle proposée par Laslett, 1972 :
(*) Familles complexes : caractérisées par l'« addition » d'un ou plusieurs parents à la famille élémentaire, ex. : couple, enfants et un grand-parent.
(**) Familles multiples : celles qui, selon Laslett, sont constituées de deux ou plusieurs *unités conjugales* c'est-à-dire couple de parents avec enfant marié, deux frères mariés vivant sous le même toit, etc.
(***) Dont 9 ménages composés par une veuve et ses enfants (26 personnes au total) et 14 ménages de solitaires.

La production agricole à Épiskepsi : états annuels (traduction de rubriques, les contenus de celles-ci pour l'année 1844)

Instruction pour le notable du village Épiskepsi sur ce qu'il faut écrire sur les feuilles de papier.

2. Il faut tout de même noter que trois d'entre eux habitaient à ce qui est maintenant l'entrée du village, soit à 5 mn de marche de la place centrale. La plupart des autres se trouvaient sur la côte, à 1 h de marche du village.

Puisque chaque liste des feuilles qui sont marquées avec une ligne rouge est divisée de haut en bas en cinq colonnes, numérotées avec les chiffres 1, 2, 3, 4, 5, chacun prendra soin d'écrire dans l'espace seulement ce à quoi cet espace est destiné et pas autre chose.

Dans l'espace n° 1, il faut écrire le nom, prénom et le patronyme du chef de famille qui habite dans la région qui est sous l'autorité du notable.

Dans l'espace n° 2, il faut noter tous les mâles de la famille, y compris les servants.

Dans l'espace n° 3, il faut noter toutes les femelles de la famille, y compris les servantes.

Dans l'espace n° 4, il faut noter la patrie de la famille.

Dans l'espace n° 5, il faut noter si la famille pratique l'agriculture, le commerce ou un art quelconque.

Chaque ligne complète doit représenter l'image d'une famille entière.

Les feuilles, lorsqu'elles seront remplies suivant les indications ci-dessus, et comme l'exemple ci-dessous le montre clairement , il faut sans tarder, et le notable en est responsable, se présenter avec ces dernières à l'Hyparcheion, au cours du mois de novembre prochain.

Numéro 1 Noms et prénoms des chefs de famille	Numéro 2 mâles de la famille	Numéro 3 Femelles de la famille	Numéro 4 patrie	Numéro 5 professions
Spiridon Castros du F. Nicola	3	2	Corfou	Agriculteurs
Hélène Coritza du F. Pano	1	2	Souli	Commerçants
Ioannis Tzaros de Spiro	2	1	Delvinon	Artisans

Le Notable du village Épiskepsi doit en outre répondre aux questions qui suivent, en écrivant sa réponse à chaque question, entre les deux lignes rouges qu'il trouvera sous chaque question.

La production agricole à Épiskepsi : états annuels (traduction de rubriques, les contenus de celles-ci pour l'année 1844)

Le notable du village Épiskepsi doit répondre aux questions qui suivent, en écrivant sa réponse à chaque question entre les deux lignes rouges qu'il trouvera sous chaque question.

1. Combien de moggii de terre sont-ils plantés d'oliviers dans toute la région du village ?
   - Cent cinquante   150
2. Combien de moggii de terre ont-ils été semés dans toute la région du village, pour récolter du blé, en 1844 ?
   - a été semée une terre de 80 moggi   80
3. Combien de kile de blé ont-ils été récoltés en 1844 dans toute la région du village ?
   - Ont été récoltés kile trois cents   300
4. Combien de moggi de terre ont-ils été semés dans toute la région du village, pour récolter du maïs, du barbarostaro et de l'orge, en 1844 ?
   - Ont été semés cinquante kile de barbarostaro et d'orge   50
5. Combien de kile de maïs, de barbarostaro et d'orge ont-ils été récoltés en tout en 1844 dans toute la région du village ?
   - Barbarostaro kile 500 et orge, kile 400
6. Combien de moggii de terre ont-ils été semés dans toute la région du village, pour récolter de l'avoine, en 1844 ?
   - Moggii de terre trente pour avoine   30
7. Combien de kile d'avoine ont-ils été récoltés en 1844 dans toute la région du village ?
   - Avoine kile six cents   600
8. Combien de moggii de terre plantée de vignes trouve-t-on dans toute la région du village ?
   - Moggii quarante   40
9. Combien de barils de vin ont-ils été produits aux vendanges précédentes dans toute la région du village ?
   - Cinq cents barils   500
10. Combien de moggii de terre ont-ils été semés dans toute la région du village, pour récolter du coton, en 1844 ?
   - . . . .
11. Combien de litres de coton ont-ils été récoltées dans tout le terroir du village en 1844 ?
   - . . . .

12. Combien de moggii de terre ont-ils été semés dans toute la région du village, pour récolter du lin, en 1844 ?
-   Quatre moggii   4
13. Combien de litres de lin ont-ils été récoltés dans toute la région du village en 1844 ?
-   Cinq cents litres   500
14. Combien de moggii de terre ont-ils été semés en 1844 dans toute la région du village pour récolter des légumes secs en 1844 ?
-   Quatre moggii   4
15. Combien de kile de légumes secs ont-ils été récoltés en 1844 dans tout le terroir du village ?
-   Cinquante kile   50
16. Combien de moggii de terre ont-ils été laissés pour pâturages dans toute la région du village ?
-   Cinquante moggii   50
17. Combien de moggii de terre en friche existe-t-il dans toute la région du village en 1844 ?
-   Cinquante moggii   50
18. Combien de chevaux et de mulets trouve-t-on actuellement dans toute la région du village ?
-   Soixante têtes   60
19. Combien de bœufs de toutes sortes trouve-t-on actuellement dans toute la région du village ?
-   Six bœufs   6
20. Combien de chèvres trouve-t-on dans toute la région du village actuellement ?
-   Chèvres têtes   600
21. Combien de moutons et de béliers trouve-t-on actuellement dans toute la région du village ?
-   Moutons têtes   200
22. Combien de barils d'huile d'olive ont-ils été produits à la dernière récolte dans toute la région du village ?
-   Deux cents barils   200

Efstahios Dendias Notable

TABLEAU VI. – *Production 1830-1844*

A. Episkepsi

	Blé	Orge + maïs en Bushels (# 28 kg)	Avoine	Légumes	Lin en Litres	Vin en Barrels (# 18 litres)	Huile d'olive
1830	300	560	500	65	800	600	1 375
1831	400	700	400	125	800	260	–
1832	400	750	400	48	800	220	1 500
1833	150	150	300	100	200	800	–
1835	300	500	600	200	150	500	–
1836	500	1 000	800	100	300	350	1 000
1837	500	900	600	400	250	500	550
1838	750	500	400	60	200	450	50
1839	250	800	325	40	400	600	125
1840	500	800	600	60	200	500	200
1841	300	1 000	1 000	300	300	800	300
1842	500	1 000	500	60	40	450	125
1843	150	125	100	15	300	600	10
1844	300	400	600	50	500	500	200

B. Oros

	Blé	Orge + maïs	Avoine	Légumes	Lin	Vin	Huile d'olive
1830	3 665	7 644	4 209	522	3 250	3 662	9 672
1831	4 710	1 219	3 630	1 399	6 315	3 502	–
1833	4 035	7 098	2 934	999	1 800	3 768	–
1835	4 135	6 975	4 860	1 455	1 080	3 645	
1836	2 802	6 095	3 097	926	750	2 420	12 050
1837	2 960	5 550	5 280	1 255	910	2 135	–
1840	1 735	3 268	1 634	471	2 766	5 210	623
1841	2 018	5 987	3 735	1 736	6 530	3 645	1 239
1843	1 865	3 174	1 612	442	2 690	2 925	1 645
1844	2 639	7 416	4 138	1 564	4 260	3 425	1 120

La prépondérance des unités domestiques strictement composées de familles élémentaires n'est pas simplement le résultat d'une espérance de vie assez médiocre (29 ans à la naissance pour la période 1822-1844), comme le suggère Laslett pour l'Angleterre pré-industrielle[3]. S'il est vrai que 10 ménages seulement ont une profondeur de trois générations, ils seraient treize si la résidence néolocale n'avait été la norme.

Le dépouillement des registres paroissiaux des deux paroisses d'Épiskepsi permet la reconstitution de la plus grande partie des

3. « In Stuart England few people lived with their in-laws, because they less often had in-laws to live with. A couple seldom had their parents living with them, because their parents survived less frequently to an age where this might become necessary. » Laslett, (1965), 1976, 95.

	Blé	Orge + maïs	Avoine	Légumes	Coton + *Lin*	Vin	Huile d'olive
		en Bushels (# 28 kg)			en Litres	en Barrels (# 18 litres)	
1830	10 657	38 661	8 283	2 260	1 304 *31 369*	85 060	106 400
1831	10 421	39 838	12 050	4 890	3 347 *39 842*	85 000	–
1832	10 290	35 992	7 898	3 802	1 465 *34 675*	87 940	108 341
1833	18 905	47 516	13 853	5 098	2 502 *21 689*	87 964	–
1834	18 905	47 516	13 853	5 598	2 002 *21 089*	88 964	236 016
1835	18 498	41 531	15 752	5 482	2 370 *26 493*	62 332	–
1836	19 064	51 741	12 963	5 342	5 927 *26 523*	55 042	85 246
1837	14 951	36 135	13 705	4 832	37 911 *32 297*	46 967	–
1838	13 126	41 541	10 754	3 775	4 680 *36 982*	59 036	28 067
1839	13 126	41 541	10 754	3 775	4 680 *36 982*	79 000	40 000
1840	11 008	35 840	8 478	4 010	3 992 *57 118*	114 363	13 458
1841	10 727	43 854	10 305	5 030	6 040 *62 145*	72 692	17 063
1842	15 843	38 584	13 153	5 543	4 030 *52 500*	83 861	33 803
1843	9 394	31 160	5 475	3 330	2 416 *38 994*	67 849	22 252
1844	16 943	48 151	11 489	5 839	3 100 *55 865*	69 518	14 109

TABLEAU VII. – *Répartition du territoire 1830-1844.*

	Épiskepsi		Oros		Corfou île	
	ha	%	ha	%	ha	%
Terres cultivées	375,4	75	4 121,8	62	36 790	81,3
Pacages	36,1	7	1 006,8	15	3 817,4	8,4
Forêts	89,2	18	1 535,5	23	4 659,2	10,3
Total	500,7	100	6 664,1	100	45 266,6	100

familles mentionnées dans le recensement de 1829. Il a donc été possible de constater, par exemple, que 28 familles sont réparties entre 43 unités domestiques. Sans règle de résidence néolocale il y aurait tout au plus 87 unités domestiques au village en 1829.

De manière générale, les unités domestiques qui se composent d'une famille élargie, qu'elles soient du type « multiple » ou « complexe », regroupent souvent deux unités familiales qui, séparées, ne pourraient pas constituer une unité de production : ainsi d'une veuve avec des enfants très jeunes, qui habite chez ses beaux-parents ou chez son beau-frère, d'une tante qui vit avec les jeunes enfants de son frère défunt, de très jeunes couples qui vivent encore chez les parents d'un des époux. Cet arrangement est également lié à la modalité du partage des terres qui, à en croire les villageois aujourd'hui, avait lieu assez tardivement dans le cycle du développement familial, c'est-à-dire à peu près au moment du mariage du dernier enfant et même parfois plus tard.

TABLEAU VIII. – *Age au décès* (Épiskepsi 1822-1844).

	Hommes	Femmes	Total
< 1	17	21	38
1 – 5	21	32	53
6 – 10	5	4	9
11 – 20	9	5	14
21 – 30	7	4	11
31 – 40	15	7	22
41 – 50	11	9	20
51 – 60	8	8	16
61 – 70	7	12	19
70	8	10	18
Total	108	112	220

3) La démographie contemporaine, conséquences sociologiques

Corfou reste une île agricole, aujourd'hui encore : la majorité de la population habite la campagne (65 % en 1951 et 62 % en 1971, contre 77 % en 1864), les agriculteurs représentant la partie la plus importante de la population active : 70 % en 1951 et 1961, 60 % en 1971. Malgré ceci, il existe un exode rural de plus en plus important, sans comparaison possible, toutefois, avec la situation des autres îles ioniennes, beaucoup plus préoccupante, d'autant plus que le phénomène se généralise à l'échelle nationale : ainsi, toute la structure économique du pays semble favoriser un mouvement de population de plus en plus important vers les grandes villes, et surtout vers Athènes et Salonique[4].

Il serait peut-être utile de rappeler ici que la population d'Athènes a doublé entre 1951 et 1971, et qu'elle représentait, en 1971, 1/3 de la population du pays. Si la population de la Grèce dans son ensemble a augmenté de 1,1 million pendant les vingt dernières années (1951-1971) Athènes a augmenté de 1,2 million dans la même période. Il en résulte que les campagnes stagnent, que les problèmes de vieillissement de la population se font aigus et que les jeunes ne trouvent plus de débouchés en dehors des grandes villes. La situation dans la seule région des îles ioniennes est alarmante : en vingt ans, Zante a perdu 21 % de ses habitants, Céphalonie 33 %, Lefkas 19 % et Corfou 12 %, dont la plupart entre 1961 et 1971[5].

Il reste que l'*île* de Corfou est la région de la Grèce la plus densément peuplée (145 ha/km^2) après Athènes (6 000 ha/km^2) et Salonique (200 ha/km^2), chiffres de 1971[6]. La région d'Oros est, comme on l'a vu, la région la plus traditionnelle, voire la plus sous-développée de l'île de Corfou. Comme c'est une région montagneuse, et que 42 % seulement de la surface totale sont cultivés (contre 56 % pour la totalité de l'île), il n'est pas étonnant que la densité de la population y soit également beaucoup plus faible : 53 habitants/km^2 en 1971. Ici, le rôle de l'agriculture est encore plus important que dans le reste de l'île ; elle occupe 75 % de la population active contre 60 % pour l'ensemble de l'île de Corfou[7]. Mais l'absence d'industries et donc de tout ce que leur présence implique (transport développé, commerce, etc.), tout en préservant la couleur locale, est responsable d'un exode rural assez fort, surtout dans les communes des plateaux. Mise à part l'hôtellerie, qui emploie une main-d'œuvre assez restreinte, 2 à 3 000 personnes sur l'ensemble de l'île pendant six mois de l'année seulement[8] tout autre emploi doit être recherché en ville ou à l'extérieur.

4. Voir Bazil Regional Planning : Corfou, Athènes, 1974.
5. Voir Statistical Yearbook of Greece, National Statistical Service of Greece (N.S.S.G.), 1976.
6. *Ibid.*
7. Bazil, chiffres de 1971.
8. Chiffres de 1973. Cf. Bazil. Dans l'étude de Bazil on note que 2 250 personnes étaient employées en 1973, ce qui se confirme par le chiffre de 2 000 « chômeurs » pendant les mois d'hiver.

La croissance exceptionnelle de la population pendant les années 20-40, résultat d'une amélioration des conditions de vie et d'hygiène, a été suivie d'une vague d'émigration dans les années d'après-guerre, et surtout pendant la période 1950-1965.

Oros, qui comptait 8 000 habitants en 1940, n'en compte que 5 600 en 1971, c'est-à-dire l'équivalent de sa population à la fin du siècle dernier (5 300 habitants en 1889). La population de l'île a également commencé à diminuer après la guerre : des 108 345 habitants de 1940, elle n'en a plus que 90 680 en 1971, comme en 1896. Pour finir, Épiskepsi suit le même mouvement : 584 habitants en 1889, 1 012 en 1951, 729 en 1971 et 680 en 1977.

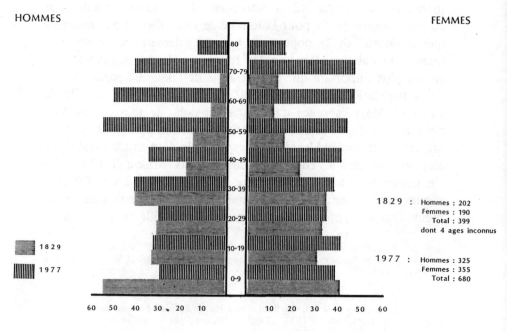

FIG. 1. — *Episkepsi : pyramides des âges, 1829-1977.*

TABLEAU IX. – *Population du village, de la région et de l'île (1759-1971).*

	Épiskepsi	Oros	Corfou île
1759	440	3 002	55 333
1781	338	2 581	–
1803	458	3 084	44 526 (*)
1824	346	2 469	47 167
1833	401	3 427	69 930
1844	452	3 801	76 303
1864	535	4 292	73 453
1879	561	4 930	78 024
1889	584	5 286	84 488
1907	740	6 706	95 451
1920	803	6 705	93 091
1928	854	7 806	103 214
1940	974	8 081	108 345
1951	1 012	7 576	102 650
1961	872	7 131	99 092
1971	729	5 662	90 680
(1977	680)		

(*) Sans compter les soldats, la police et les pauvres.

Sources : 1759 : A.H.C., Enetiki Dioikissus 461 et Grimani, *op. cit.* ; 1781 : B. Museum, Ital. 17 999 Additional ; 1803 : Vlassopoulo, *op. cit.* ; 1824 : A.H.C. Ionion Kratos 76 « Anagrafi della Popolazione dell'isola di Corfu, 1mo Giugno 1824 » ; 1833, 1844 ; Gazetta Ufficiale degli Stati Uniti delle Isole Ione n° 28, 1845 « Quadro comparativo della Popolazione di Corfù negli Anni 1833, 36 e 44 » ; 1864 : Gazetta Ufficiale degli Stati Uniti delle Isole Ionie, « Census of the Population of the Island of Corfu taken in the Year 1864 » in : A.H.C., Ionion Kratos 76 (n° de Gazette inconnu) cité également in *Chryssalis,* vol. 3, 1865, p. 373 ; 1879-1971 : Office National de Statistique de Grèce, recensements.

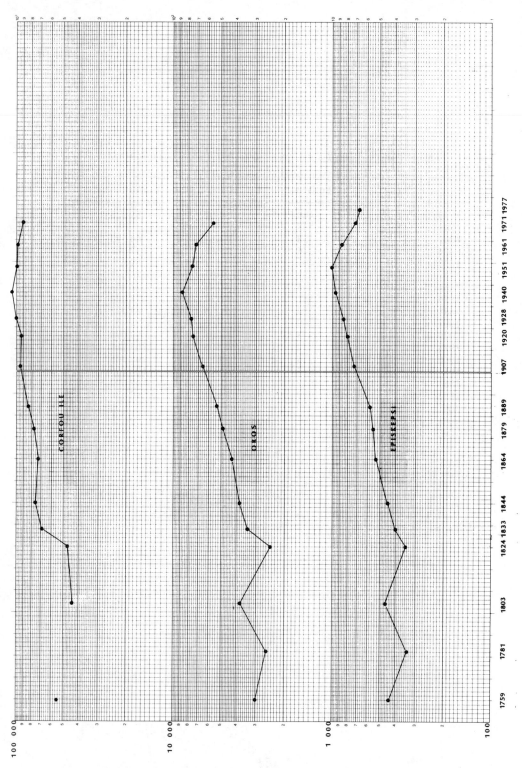

FIG. 2. – *Population du village, de la région et de l'île, 1759-1971.*

TABLEAU X. – *Episkepsi 1977 : répartition des propriétés et composition des unités domestiques.*

Nombre d'arbres	Membres de l'unité domestique								Total unités domestiques
	1	2	3	4	5	6	7	8	
0	6	4							10
< 100	6	9	4	1	1				21
100	2	5	1	2					10
150	2	4	4	2	1				13
200	3	16	13	20	3	8		1	64
250		2	1	3	1	4	1	1	13
300		4	4	6	4	3			21
350	1		1	2	1				5
400		2	3	8	5	3	2		23
450						2			2
500			1			1			2
600		1		1	1	1			4
650					1	1			2
700					1				1
800						1			1
1 000					1				1
1 500						1			1
3 000			1						1
UN.DOM.	20	47	33	45	20	25	3	2	195

Total oliviers : 50 089 ou 257 par unité domestique (moyenne).
Total habitants : 680.

TABLEAU XI. – *Episkepsi 1977 : répartition des parcelles.*

Nombre d'oliviers	Nombre exploitations	% exploitations	Nombre des parcelles	Moyenne parcelles	Médiane parcelles	« mode » parcelles
50-100	34	21	de 1 à 3	1,6	2	2
150-200	53	33	de 1 à 7	3,7	4	3
250-300	38	23	de 1 à 9	4,4	5	3
350-400	21	13	de 2 à 8	4,7	5	5
450-800	13	8	de 1 à 8	5,2	5	6
1 000 +	3	2	de 1 à 8	5,3	7	–
Total	162	100		3,7	3,7	3,7

TABLEAU XII. – *Densité de population et densité par rapport aux surfaces cultivées* (chiffres de 1971).

	Habitants/km^2	Surface cultivée	Surface totale %
Corfou-île	148	265	56 %
Corfou rurale	103	180	57 %
Oros	53	126	42 %
Épiskepsi	91	122	75 %

TABLEAU XIII. – *Oros : terres cultivées par rapport à l'ensemble du finage de chaque commune et densité de la population* (chiffres de 1971).

Communes	Finage km^2	Terres cultivées Km^2	%	Densité ha/km^2	ha/km^2 cultivé
A. Pantelemon	7,0	5,5	79	75	95
Épiskepsi	8,0	6,0	75	91	122
Kassiopi	9,0	1,7	19	63	332
Lafki	5,0	2,5	50	56	111
Loutses	6,6	1,8	27	40	147
Nissaki	8,0	3,4	42	53	124
Perithia	17,0	6,0	35	34	96
Petalia	14,0	1,7	12	29	242
Sgourades	4,0	2,3	57	62	107
Signès	14,0	6,6	47	51	107
Spartilla	12,0	5,2	43	53	123
Gimari	2,5	2,1	84	123	146
Oros total	107,1	44,8	42	53	126

TABLEAU XIV. – *La répartition des revenus de l'agriculture par rapport à l'ensemble de la production de l'île.*

	1961	Moyenne	1971
a. *Cultures traditionnelles*			
Céréales	2,9	2,1	1,2
Oliviers	47,5	50,4	53,3
Vignes	7,6	6,6	5,5
Légumes secs	1,6	1,5	1,4
Fruits à écales	9,0	7,0	4,9
b. *Cultures nouvelles*			
Plantes fourragères	6,2	6,3	6,3
Légumes frais	7,2	10,2	13,1
Agrumes	4,6	3,5	2,4
Autres arbres fruitiers	7,2	5,8	4,3
Pommes de terre	5,2	5,4	5,6
Autres fruits	1,0	1,5	2,0
Total a	68,6	67,0	65,4
Total b	31,4	33,0	34,6
Total a et b	100,0	100,0	100,0

TABLEAU XV. – *Répartition des cultures à Corfou.*

	Surfaces cultivées (%)	
	Ile de Corfou (1961-1971)	Épiskepsi (1968-1977)
a. *Cultures traditionnelles*		
Blé	2,0	0,2
Orge et maïs	5,2	0,4
Avoine	1,1	0,1
Oliviers	53,3	90,2
Vignes	8,0	1,1
Légumes secs	5,2	1,2
Fruits à écales	1,2	–
b. *Cultures nouvelles*		
Plantes fourragères	12,2	2,8
Légumes frais	3,5	2,2
Agrumes	1,7	–
Autres arbres fruitiers	1,0	–
Pommes de terre	4,6	1,7
Autres fruits	0,9	–
Total a	76,1	93,2
Total b	23,9	6,7
Total a et b	100,0	99,9

Sources : Bazil, *op. cit.,* tableau 4.10/4. Fiches des recensements agricoles, Office National de Statistique de Grèce et Service de Statistiques au ministère de l'Agriculture. Documents d'archives de la mairie d'Épiskepsi, 1968-1977.

TABLEAU XVI. – *Episkepsi : rendement des cultures, 1968-1977.*

Blé	970 kg/ha	ou 6,5 pour 1
Orge	603 kg/ha	
Avoine	431 kg/ha	ou 4,8 pour 1
Maïs	1 408 kg/ha	
Vesce cultivé	2 450 kg/ha	
Trèfle	7 900 kg/ha	
Herbe coupée pour foin	3 700 kg/ha	
Pommes de terre	6 980 kg/ha	
Potagers	7 060 kg/ha	
Pois chiches	780 kg/ha	

TABLEAU XVII. – *Production agricole à Episkepsi, 1977*
(compte non tenu des produits de l'olivier).

	Village total		Moyenne par unité domestique	
	Surface cultivée (ha)	Production (kg)	Surface cultivée $\hat{m}^2$	Production (kg)
Blé	0,2	300	10	1,5
Maïs et haricots	0,8	800	41	4,1
Haricots	0,3	450	15	2,3
Légumes secs	1,3	800	67	4,1
Fourrage	10,5	52 000	538	267
Pommes de terre	5,0	30 000	256	154
Potagers	9,5	80 500	487	413
Fruits	–	40 740	–	209
Vin (moût)	–	70 000	–	359
Produits d'élevage				
Lait vaches		25 000		
Lait brebis		60 000		
Lait chèvres		25 000		
Lait total		110 000		564
dont production domestique		85 000		436
dont fromage		12 000		62
Viande bœuf		6 700		
mouton		8 000		
chèvre		1 400		
porc		4 000		
volailles		1 400		
Viande total		21 500		110
Laine		500		2,6
Miel		400		2,1
Œufs (N)		690 000		3 538
dont production domestique		225 000		1 154

TABLEAU XVIII. – *Coûts de l'exploitation de 1 750 oliviers appartenant à Dimitras* (Épiskepsi, 1977.)

	Nombre jours × salaire	Total (drachmes)
A. Nettoyage du sol (psíloma)		
Hommes		
Vassilis	16 × 350	5 600
Kolitiris	15 × 350	5 250
Nicolos	15 × 350	5 250
Koutsochéris	14 × 350	4 900
Nicos	10 × 350	3 500
Total	70	24 500
Femmes		
Paschalina	10 × 200	2 000
Sophia	5 × 200	1 000
Maria	1 × 200	200
Aliki	12 × 200	2 400
Eleni	14 × 200	2 800
Caterina	9 × 200	1 800
Adriana	4 × 200	800
Total	55	11 000
Grand total	125	35 500
Transport et nourriture		10 000
B. Pulvérisations (insecticide) *(ràntisma)*		
Coût de la main-d'œuvre (salaire et location du tracteur)		
Hommes		
Nicolos	4 × 800	3 200
Stephos	5 × 400	2 000
Vassilis	5 × 400	2 000
Nicos	5 × 400	2 000
Total	19	9 200
Coût des produits		2 750
Total		11 950
Total (deux pulvérisations)		23 900
C. Pulvérisations (herbicide) *(rántisma)*		
Coût de la main-d'œuvre : opération entreprise par une équipe d'ouvriers qui demande 7 drachmes par arbre (donc 12 250 drachmes pour cette oliveraie).		
Coût des produits		6 160
Total		18 410
Total (2 pulvérisations)		36 820
D. Fertilisation (lípasma)		
Coût de la main-d'œuvre :		
15 salaires masculins		5 250
Coût des produits		19 560
Total		24 810

E. Cueillette (mázema)
Coût de la main-d'œuvre :
Hommes :

Vassilis	180 × 300	54 000
Nicolos	130 × 300	40 000
Kolitiris	100 × 300	30 000
10 femmes	180 × 150	270 000
Total		394 000

Récapitulation

	Dépenses totales	dont main-d'œuvre	%
A. Nettoyage	45 500	35 500	7,4
B. Pulvérisation	23 900	18 400	3,9
C. Pulvérisation	36 820	24 500	5,1
D. Fertilisation	24 810	5 250	1,1
E. Cueillette	394 000	394 000	82,5
Total	525 030	477 650	100.0
%	100	82,5	

Bibliographie

A. DOCUMENTS D'ARCHIVES

1. A.H.C. (Archives Historiques de Corfou); colllections :
IONION KRATOS n°s 76, 104, 156, 157, 158, 159, 160, 163, 302, 303, 304, 305, 447, 448, 449.
EGGRAFA EKKLISSION N°s 137, 140.
ARCHEION THRISKEIAS n°s 7/93, 10/103, 14/130, 7/85, 10/122, 14/122, 6/38, 6/53.
GALLOI AUTOKRATORIKOI n° 87.
ENETIKI DIOIKISSIS n° 461.
LIXIARCHIKES PRAXEIS EKKLISSION n°s 80/2, 80/3, 81/2.
GAZETTA UFFICIALE DEGLI STATI UNITI DELLE ISOLE IONIE n°s 28/1845, 59/1846, 19/1849, 292/1857, 313/1857, 684/1864.

2. P.R.O. (Public Record Office)
C.O. 136 1391 jusqu'à 1427 (Blue Books of Statistics).

3. B.M. (British Museum)
Ital 17999 Additional

B. LIVRES, ARTICLES ET BROCHURES

ANDREADIS A.
1907. « L'Union de l'Heptanèse et l'administration de la Protection » in *Oeuvres*, vol. I, Athènes (en grec).
1914. *Sur l'administration économique de l'Heptanèse pendant la domination vénitienne*, 2 vol., Athènes (en grec).
1936. *Les finances publiques de l'Heptanèse dans la période 1797-1814*, Corfou (en grec).

AN IONIAN (DRAKATOS-PAPANICOLAS)
1851. *The Ionian Islands ; what they have lost and suffered under the thirty years' administration of the Lord High Commissioner sent to govern them*, London, Ridgway.

ANONYME
1811. *Questions sur la Statistique de Corfou mises en concours académique par S.E. Monsieur le Commissaire Impérial*, Corfou, imprimerie de l'Académie ionienne.

ANONYME
1850. *Le paysan de Céphalonie aux hommes politiques de l'Heptanèse*, Athènes, Vakalopoulo (en grec).

ANONYME

1868. *Quelques documents relatifs à la rédaction d'une loi consacrant la spoliation des propriétaires de Corfou*, Corfou, 1 juillet, Nacamouli éd.

AVRAMEA A.

1975. « Recensement de la population de Corfou (1812) dans un document manuscrit à la Bibliothèque nationale de Paris », in *Eranistis*, 12, 71 (en grec).

BALANOS S.K. (éd.)

1867. *IONIOS KODIX* (Code civil ionien), Athènes, 2ᵉ éd. (en grec).

BAZIL

1974. *Regional Planning, Corfou*, Athènes.

BENDER D.

1967. « A Refinement of the Concept of Household », in *American Anthropologist*, 69.

BERKNER L.K.

1975. « The Use and Misuse of Census Data for the Analysis of Family Structure », in *Journal of Interdisciplinary History*, V, 4.

BOTTA C.

1823. *Storia Naturale e Medica dell' Isola di Corfù*, Milano, Giovanni Silvestri (seconda editione).

BOUNIAS I.

1954, 1958. *Kerkyraïka : histoire, folklore*, 2 vol. Vol A : Athènes, 1954 ; vol. B : Corfou, 1958 (en grec).

BRANDES H.S.

1973. « Social structure and interpersonal relations in Navanopal (Spain), in *American Anthropologist*, vol. 75, n° 3.

CAMPBELL J.K.

1964. *Honour, family and patronage*, Oxford, O.U.P.

CAPODISTRIAS Count Viaro

1815. *Observations sur l'état intérieur des îles ioniennes*, adressé à Lord Castelreagh, Paris.

1841. *Remarks respectfully sumbitted to the consideration of the British Parliament, upon a despatch dated 10th April 1840 from Sir Howard Douglas, Bart. Lord High Commissioner of the Ionian Islands to the Right. Hon. Lord John Russel, minister of the Colonies*, London, T. Brettel (Translated from the Italian).

CHASSIOTIS G.

1881. *L'instruction publique chez les Grecs*, Paris.

CHIOTIS P.

1862. *Mémoires historiques de l'Heptanèse... 1500-1816*, Corfou (en grec).

1874-1877. *Histoire de l'État ionien, depuis sa création jusqu'à l'Union, 1815-1864*, Zante.

CONSTANTAS

1866. *L'enlèvement de la propriété à Corfou*, Corfou, Ionia (en grec).

1867 a. *Les voleurs de Corfou*, Athènes (en grec).

1867 b. *Le projet de loi contre la propriété*, Corfou, Ionia (en grec).

1868. In *Comptes rendus de la 3ᵉ session du Parlement, 1867, sur la question de Corfou*, Athènes, Imprimerie nationale (en grec).

DAMASKINOS A.

1864. *Le système agraire à Corfou*, Corfou, Hermès (en grec).

DANDOLO A.

1851. *Des îles ioniennes sous la protection britannique. Pour servir de réponse au livre écrit en anglais et publié à Londres cette année sous un titre égal*, Corfou, Schéria.

1861. *Les îles ioniennes : étude historique*, Paris, rue des Saints-Pères, 53.

DAVY I.

1842. *Notes and Observations on the Ionian Islands and Malta*, 2 vol., London.

DECORSE

1918. *Les ressources agricoles de l'île de Corfou. Avec tableau statistique par commune*, Corfou, Aspiotis.

DIMARAS C.

1977. « Supplément à la bibliographie ionienne », in *Deltion Ioniou Acadimias*, Corfou.

DRAKATOS-PAPANICOLAS (voir AN IONIAN)

DUMONT L.

1971. *Introduction à deux théories d'anthropologie sociale*, Paris, Mouton.

EVANS-PRITCHARD E.E.

1962. *Essays in Social Anthropology*, London, Faber and Faber.

FLANDRIN J.L.

1976. *Familles : parenté, maison, sexualité dans l'ancienne société*, Paris, Hachette.

FORTES M.

1953. « The Structure of Unilineal Descent Groups », in *American Anthropologist, 55*.

1971. « Introduction » in Goody (ed.) *The Developmental Cycle in Domestic Groups*, Grambridge, C.U.P. (1ʳᵉ édition, 1958).

FOSTER G.M.

1961, 1962. « Interpersonnal relations in peasant society », in *Human Organisation*, Vol. XIX, N° 4 et vol. XXI, n° 1.

1963. « The dyadic contract in Tsintsuntsan II : Patron-client relationships, in *American Anthropologist*, vol. LXVI, n° 6.

FRANKLIN S.H.

1971. *Rural Societies*, London, MacMillan.

FREEMAN J.D.

1961. « The Concept of the Kindred », in *Journal of the Royal Anthropological Institute, 91*.

GERAKARIS N.

1911. *Revue de la propriété foncière à Corfou*, Corfou (en grec).

GOODY J.

1969. *Comparative Studies in Kinship*, London, Routledge.

GOODY J. (ed.)

1958. *The Developmental Cycle in Domestic Groups,* Grambridge, C.U.P.

1973. *The Character of Kinship,* Cambridge, C.U.P.

GOODY J., THIRSK J. and THOMPSON E.P. (eds)

1976. *Family and Inheritance,* Cambridge, C.U.P.

GRAZIANO L.

1975. *A conceptual framework for the study of clientelism,* Cornell University, Western Societies Program, Occasional Papers, April.

GRIMANI F.

1861. *Relazioni storico-politiche delle isole del Mar Ionio, suddite della Serenissima Republica di Venezia. Scritte allo eccelentissimo Senato da sue Eccellenza Fr. Grimani, Proveditore Generale da Mar l'anno 1760,* Venezia.

HAMMEL E.

1968. *Alternative social structures and ritual relations in the Balkans,* Prentice Hall, N.Y.

HAMMEL E.A and LASLETT P.

1974. « Comparing Household Structure over Time and between Cultures », in *Comparative Studies in Society and History,* 16, 1.

HANDMAN-XYFARAS M.E.

1976. « Les noces à Pouri, Pélion », in *Homme,* Avril-Sept., XVI (2-3).

HENRY L.

1967. *Manuel de démographie historique,* Paris.

HENRY L. et FLEURY G.

1965. *Nouveau manuel de dépouillement de l'état-civil ancien,* I.N.E.D., Paris.

HIDROMENOS A.M.

1874. « Sur l'éducation dans les îles ioniennes depuis leur soumission à Venise jusqu'à leur restitution nationale », in *Attikon Himerologion* (en grec);

1895. *Précis sur l'histoire de l'île de Corfou,* Corfou (en grec).

IONIOS KODIX (Code civil ionien) voir BALANOS

JERVIS-WHITE J.H.

1852. *History of the island of Corfou and of the Republic of the Ionian Islands,* London, Colburn and Co.

KATSAROS S.

1976. *Chroniques de Corfou,* vol. A, « Révolutions des paysans au temps des Français », Corfou (en grec).

KLAPISCH C.

1977. « Déclin démographique et structure du ménage. L'exemple de Prato, fin XIVe-fin XVe », in *Famille et parenté dans l'Occident médiéval,* Collection de l'École française de Rome, Rome.

KOLODNY E.

1974. *La population des îles de la Grèce,* 3 vol. Aix-en-Provence, Edisud.

KOURKOUMELIS D.
1853. *Réponse au pamphlet publié par le Dr N. Zambellios*, Corfou, Imprimerie Nationale (en grec).
1864. *Exposition de la condition juridique de la propriété foncière à Corfou*, Corfou (en grec).

LAMARE-PICQUOT
1918. *Nos anciens à Corfou, souvenirs de l'aide-major Lamare-Picquot*, Paris, librairie Félix Alcan.

LASLETT P.
(1965) 1976. *The World we have lost*, London, Methuen.
(1972) 1978. (ed.) *Household and Family in Past Time*, Cambridge, C.U.P.

LEACH E.R.
1961. *Pul Eliya, a village in Ceylon*, Cambridge, C.U.P.
1961. « On certain unconsidered aspects of double descent systems », in *Man*, 214.
1973. « Complementary filiation and bilateral kinship », in Goody (ed.) *The Character of Kinship*, Cambridge, C.U.P.

LEAKE W.M.
1835. *Travels in Northern Greece*, 3 vol., London.

LENORMANT F.
1859. *La question ionienne devant l'Europe*, Paris.
1861. *Le gouvernement des îles ioniennes ; lettre à John Russel*, Paris, Amyot éd.

LEVI-STRAUSS C.
(1949) 1971. *Les structures élémentaires de la parenté*, Paris, Mouton.

LLOYD C.E.
1897. « Corfu and its olive groves », in *Cosmopolitan*, March.

LOUNTZIS E.
(1856) 1969. *La domination vénitienne en Heptanèse*, Athènes, Calvos (en grec).
1857. *Sur l'organisation de l'éducation publique en Heptanèse*, Athènes, Angelidis (en grec).

McLELLAN F.
1835. *Sketches of Corfu, historical and domestic, its scenery and natural productions...*, London.

MAIR L.
1969. *Anthropology and Social Change*, London, Athlone.

MANSOLAS A.
1867. *Informations démographiques sur la Grèce*, Athènes (en grec).

MARKORAS G.
1868. *Précis et esprit de la question agricole de Corfou*, Corfou, Nacamouli ed.

MASTRAKAS
1630. Voir Tsitsas (ed), 1977.

MORDO D. (de)

1865. *Saggio di una descrizione geografico-politica dell Isole Ionie (Eptane-sia). Proposto ad usa della gioventù studiosa,* Corfou, Ionia.

MUSTOXIDI A.

1840. *Pro Memoria sulla condizione attuale delle Isole Ionie,* London, J. Morton.

NAPIER C.J.

1833. *The Colonies, Treating of their value generally, and of the Ionian Islands in particular by Colonel Charles James Napier,* London, T. & N. Boone.

PANDAZOPOULOS N.

1969. « Le système timariotique et le système de fermage en Heptanèse », in *Actes du 3ᵉ congrès panionique,* vol. II, Athènes (en grec).

PAPASOTIRIOU D.

1952. *L'oléiculture pratique,* Athènes, édition de la Revue agricole, n° 2 (en grec).

PAPAVLASSOPOULOS G.

1921. *L'île de Corfou du point de vue agricole dans le passé et aujourd'hui,* Pirée (en grec).

PARTSCH J.

1892. *L'île de Corfou. Monographie géographique,* Athènes (traduction en grec).

PAUTHIER G.

1863. *Les îles ioniennes pendant l'occupation française et le protectorat anglais,* Paris, Institut de la Bibliothèque impériale et du Sénat.

PAXIMADOPOULOU-STAVRINOU M.

1980. *Les rébellions de Céphalonie dans les années 1849 et 1850,* Athènes, Association de recherches historiques sur la Céphalonie (en grec). (Thèse de Doctorat soutenue en 1980 à Panteios School of Political Sciences, à Athènes).

PERNOT H. (éd.)

1910. *Bibliographie ionienne ; description raisonnée des ouvrages publiés par les Grecs des sept îles ou concernant ces îles du XVᵉ siècle à l'année 1910 par Émile Legrand. Œuvre posthume complétée et publiée par Hubert Pernot,* 2 vol., Paris.

PIERRIS N.

1966. *Bibliographie ionienne ; suppléments,* Athènes.

PISON G.

1979. « Age déclaré et âge réel : une mesure des erreurs sur l'âge en l'absence d'état-civil », in *Population,* n° 3, mai-juin.

PITT-RIVERS J.

1971. *The People of the Sierra,* Chicago, University of Chicago Press (première édition, 1954).

POLITIS N.

1920. « La coutume de briser des pots lors de l'enterrement », in *Laograhica Symmeicta,* vol. 2, Athènes (en grec).

POLYLAS M.

1864 a. *Sur les terres timariotiques à Corfou,* Corfou, 17/29 août, Ionia (en grec).

1864 b. *Au gouvernement de sa Majesté hellénique,* (brochure publiée en grec, en français et en italien le 15/29 août à Corfou).

RADCLIFFE-BROWN A.R. and FORDE D. (eds.)

1950. *African Systems of Kinship and Marriage,* Oxford, O.U.P.

RANGAVIS I.

1853. *Ta Hellinika : description géographique, historique, archéologique et statistique de la Grèce ancienne et moderne,* 3 vol., Athènes (en grec).

RODOCANACHI E.

1889. *Bonaparte et les îles ioniennes,* Paris, Félix Alcon, éd.

ROMANOS I.

1959. « Constitution du plus ancien timar à Corfou », in *Kerkyraïka Chronika,* vol. 2 (en grec).

SABEAN D.

1976. « Aspects of kinship behaviour and property in rural Western Europe before 1800 », in Goody et al. (eds.).

SAINT-SAUVEUR A.G. (de)

1799. *Voyage historique, littéraire et pittoresque dans les îles et possessions ci-devant vénitiennes du Levant,* Paris, An VIII, Suret.

SALOMON Marino di Cephalonia

1825. *Esposizione delle Cause Politico-Economiche che si oppongono ai progressi dell'Agricoltura negli Stati Uniti dell'Isole Ionie. Con un apprendice sullo stato passato e presente della publica administrazione. Di Marino Solomon, di Cephalonia, autore del progetto di un codice commerciale et di navigazione per gli Stati medesimi,* Bologna, Presso i Fratelli Masi.

SALVANOS G.

1929. « Collection folklorique du village Argyrades à Corfou », in *Laographia,* vol. 10, A et B (en grec).

SATHAS C.N.

1880-1885. *Documents inédits relatifs à l'histoire de la Grèce au Moyen-Age,* publié sous les auspices de la Chambre des Députés de Grèce. Série 1, documents tirés des Archives de Venise, vol. I-VI, Paris.

SHETFER M.

1979. *Patronage and its opponents : a theory and some european cases.* Western Societies Program Occasional Papers, Cornell University, May.

SKLEROS G.

1907. *Notre question sociale,* Athènes (en grec).

SIDERIS A.D.

1934. « La question agraire à Corfou », in *Grande encyclopédie hellénique,* vol. 1 (en grec).

SILVERMAN S.F.

1965. « Patronage and community-nation relationships in Italy », in *Ethnology*, 4.

SORDINAS I.

1927. *L'olivier : guide de cultivation...*, édition de la Société agricole hellénique, Athènes (en grec).

SORDINAS A.

1965. « Recherche préhistorique à Corfou en 1965 », in *Kerkyaraïka Chronika*, vol. XI (en grec).

1971. *Old olive oil mills and presses on the island of Corfu, Greece.* Memphis State University Anthropological Research Center Occasional Papers, n° 5.

1974. « Découvertes préhistoriques dans les îles Diapontioi, au N.-O. de Corfou », in *Kerkyraïka Chronika*, vol. XIX (en grec).

STAHL P.H.

1978. « The Domestic Group in the Traditional Balkan Societies », in *Zeitschrift Für Balkanologie*, Band XIV.

STAVRIDOU-PATRIKIOU R.

1976. *Démoticisme et la question sociale*, édition commentée de textes sur la question de la diglossie en Grèce en 1907-1909, Athènes, Hestia (en grec).

THIRIET F.

1959. *La Romanie vénitienne au Moyen-Age*, Paris, Boccard.

THEOTOKY A.E.

1839. *Sir Frederic Adam in the Ionian Islands*, Malta, J. Stocker & Co. (éd. bilingue, anglais et italien).

1874. *Considérations concernant les lois actuelles du royaume hellénique*, Corfou, Ionia (en grec).

THEOTOKY, baron E.

1826. *Détails sur Corfou*, Corfou.

THEOTOKIS S.M.

1956. « Sur l'éducation en Heptanèse, 1453-1864 », in *Kerkyraïka Chronika*, 5 (en grec).

TSITSAS A. (éd.)

1974. « Une description de Corfou faite en 1630 par Stephano Mastraka », in *Deltion Anagnostikis Etairias Kerkyras*, 11,11 (en grec).

1977. « S. Vlassopoulo : informations statistiques − historiques sur Corfou », in *Kerkyraïka Chronika*, n° spécial, vol. XXI (en grec).

TSOUCALAS C.

1977. *Dépendance et reproduction : le rôle social des appareils scolaires en Grèce*, Athènes, Thémélio (en grec). Thèse ès Lettres soutenue en 1975 à Paris-1.

TYPALDOS J.

1864 a. « La féodalité dans les îles ioniennes, in *Chryssalis*, vol. B, n°s 40-41 (en grec).

1864 b. *Le féodalisme et l'agriculture dans les îles ioniennes*, Athènes, Imprimerie Nationale (en grec).

168

VAUDONCOURT G. de
  1816. *Memoirs on the Ionian Islands, considered in a commercial, political and military point of view*. London (traduction du français en anglais par W. Walton).

VERDON M.
  1980. « Shaking off the Domestic Yoke, or the Sociological Significance of Residence », in *Comparative Studies in Society and History*, vol. 22, n° 1.

VERYKIOS S.
  1965. *Histoire des Etats unis des îles ioniennes*, Athènes (en grec).

VLASSOPOULO S., voir TSITSAS A. (éd.), 1977

VOULGARIS N.T.
  1880. « Les archives de Corfou », in *Parnassos*, vol. 4 (en grec).

VROKINIS L.
  1888. *Sur les processions des reliques de saint Spyridon qui se déroulent chaque année à Corfou et sur le siège de Corfou en 1716...*, Corfou, Hermès (en grec).

WOLF E.R.
  1966 a. *Peasants*, Prentice Hall.
  1966 b. « Kinship, friendship and patron-client relationships in complex societies », in *ASA 4*.